UN LIVRE *branché* SUR VOTRE RÉUSSITE !

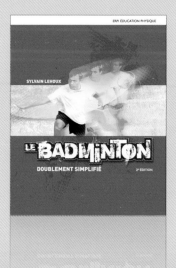

COMPAGNON web [MD]

L'étudiant y trouvera des vidéos montrant les techniques et les coups, des fiches descriptives des déplacements de base, un jeu-questionnaire interactif, des stratégies de jeu en mixte, des grilles d'évaluation enrichies ainsi que du matériel pour joueurs avancés.

L'enseignant pourra notamment avoir accès au corrigé des questions de révision et à des banques de questions d'examen.

CODE D'ACCÈS DE L'ÉTUDIANT

COMPAGNON **web** [MD]

❶ Rendez-vous à l'adresse de connexion du Compagnon web : **http://cw.erpi.com/lehoux**
❷ Cliquez sur «S'inscrire» et suivez les instructions à l'écran.
❸ Vous pouvez retourner en tout temps à l'adresse de connexion pour consulter le Compagnon web.

Afin d'éviter une désactivation de votre code d'accès causée par une inscription incomplète ou erronée, consultez la capsule vidéo d'information sur le site **http://assistance.pearsonerpi.com**

L'accès est valide pendant 6 MOIS à compter de la date de votre inscription.

Code d'accès étudiant
COMPAGNON WEB ►

AVERTISSEMENT : Ce livre NE PEUT ÊTRE RETOURNÉ si la case ci-dessus est découverte.

Besoin d'aide ? : http://assistance.pearsonerpi.com

D1507446

CODE D'ACCÈS DE L'ENSE[IGNANT]

Du matériel complémentaire à l'usage exclusif de l'enseignant e[st] [...] adoption de l'ouvrage. Certaines conditions s'appliquent. **Demandez votre code d'accès à information@erpi.com**

W20637 (A46300)

ERPI ÉDUCATION PHYSIQUE

SYLVAIN LEHOUX

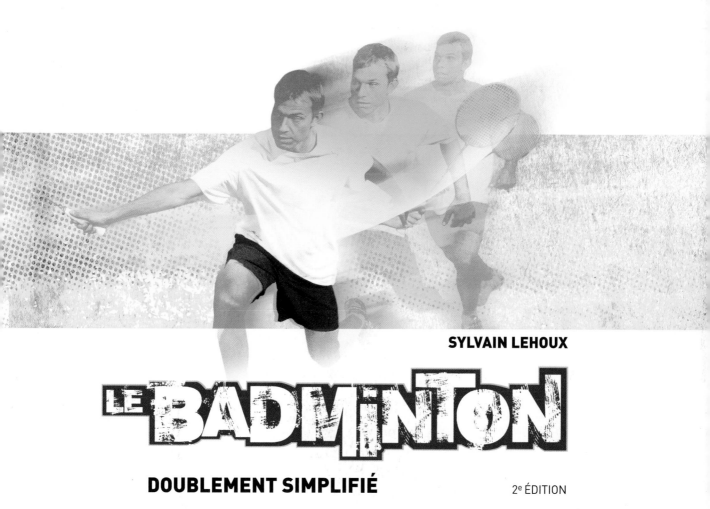

LE BADMINTON

DOUBLEMENT SIMPLIFIÉ

2e ÉDITION

PEARSON

Montréal   Toronto   Boston   Columbus   Indianapolis   New York   San Francisco   Upper Saddle River
Amsterdam   Cape Town   Dubai   London   Madrid   Milan   Munich   Paris
Delhi   Mexico City   Sao Paulo   Sydney   Hong Kong   Seoul   Singapore   Taipei   Tokyo

Direction, développement de produits
Micheline Laurin

Supervision éditoriale et révision
Liette Beaulieu

Correction d'épreuves
Julie Robert

Direction artistique
Hélène Cousineau

Supervision de la production
Muriel Normand

Conception graphique
Martin Tremblay

Conception de la couverture
Martin Tremblay

Édition électronique
Info GL

Dans cet ouvrage, le générique masculin est utilisé sans aucune discrimination et uniquement pour alléger le texte.

© ÉDITIONS DU RENOUVEAU PÉDAGOGIQUE INC. (ERPI), 2012
Membre du groupe Pearson Education depuis 1989

5757, rue Cypihot
Saint-Laurent (Québec) H4S 1R3
CANADA
Téléphone : 514 334-2690
Télécopieur : 514 334-4720
info@pearsonerpi.com
http://pearsonerpi.com

Dépôt légal – Bibliothèque et Archives nationales du Québec, 2012
Dépôt légal – Bibliothèque et Archives Canada, 2012

Imprimé au Canada   1234567890   II   16 15 14 13 12
ISBN 978-2-7613-4468-5   20637 ABCD   SM10

Avant-propos

L'ouvrage que vous tenez entre vos mains a pour objectif de faciliter l'apprentissage et la pratique du badminton. Il contient une multitude d'outils mis au point dans le but de favoriser la compréhension, l'amélioration et l'autonomie des étudiants, et ce, peu importe leur niveau de jeu. *Badminton doublement simplifié* se veut également un outil pédagogique unique et utile pour les professeurs d'éducation physique et les entraîneurs.

La **première des deux grandes parties du livre**, qui regroupe les chapitres 1 à 4, présente le badminton d'une manière générale et en décrit les éléments de base, théoriques, techniques et tactiques. Ces chapitres abordent les règles, le matériel, les coups, les déplacements et les tactiques de jeu. Les coups et les déplacements sont expliqués sous forme de fiches avec photos, ce qui permet de les décrire clairement. À la fin de cette partie, 41 questions de révision mettent vos connaissances à l'épreuve afin de vérifier l'intégration des différents concepts.

La **deuxième partie** comprend les chapitres 5 à 9 ; on y suggère une démarche d'apprentissage simple en six étapes : 1) autoévaluation globale de vos habiletés ; 2) détermination des objectifs ; 3) autoévaluation des coups et des déplacements ; 4) exercices visant à travailler certains éléments techniques ; 5) évaluation de l'efficacité en situation de jeu ; 6) autoévaluation finale. Grâce à cette démarche, vous pourrez développer les habiletés de base en tenant compte de votre niveau. À chacune des étapes correspondent des outils pratiques intégrés dans les chapitres (grilles, fiches et tableaux) ou accessibles sur le Compagnon web. En conclusion de cette deuxième partie, votre professeur et vous pourrez profiter d'outils d'évaluation conçus afin de vous aider à juger de votre niveau de progression ainsi que de la qualité de votre démarche.

D'une manière générale, ce livre s'adresse aux joueurs de niveau débutant ou intermédiaire. Il comprend un grand nombre de conseils pratiques pour tous. Au fil des pages, vous remarquerez certains éléments bleus (carrés bleus dans les fiches et phrases en bleu dans le texte) : ceux-ci s'adressent en particulier aux débutants. De la même façon, les carrés ou le texte de couleur vert foncé veulent attirer l'attention des joueurs avancés sur des notions plus difficiles, plus précises, qui permettent d'affiner les mouvements et d'augmenter l'efficacité de jeu. Par ailleurs, le Compagnon web de l'ouvrage comporte des fiches pour les joueurs avancés. Si vous êtes débutant, attardez-vous principalement aux trois habiletés techniques suivantes, jusqu'à les maîtriser : le service long, le dégagé et les déplacements. Ils sont à la base de tout le reste.

Le Compagnon web

De nombreux outils favorisant l'apprentissage des étudiants et facilitant l'enseignement sont accessibles sur le Compagnon web de l'ouvrage : http://cw.erpi.com/lehoux.

Voici le contenu détaillé du Compagnon web :

- Vidéos des coups et des déplacements de base.
- Jeu-questionnaire interactif avec réponses instantanées et explications, pour compléter la révision.
- Grilles d'évaluation de la progression.
- Fiches descriptives des déplacements.
- Présentation de coups pour joueurs avancés.
- Présentation de déplacements pour joueurs avancés.
- Progressions pédagogiques des différents coups avec des séries d'exercices évolutifs.
- Présentation des éléments tactiques du double mixte.
- Liens Internet pour trouver les règlements complets ainsi que diverses informations théoriques ou pratiques.

De plus, les enseignants trouveront sur le Compagnon web le corrigé des questions de révision, des banques de questions pour préparer leurs examens, des grilles de tournois à imprimer et un exemple d'échéancier de cours.

Jouer et (surtout) s'amuser

Si le badminton est un sport techniquement complexe, il n'est pas pour autant inaccessible. Vous aussi, si vous le désirez, pouvez développer vos habiletés, et ce, en vous amusant. Surtout que *Badminton doublement simplifié* est là pour vous aider à atteindre vos objectifs. Bonne lecture !

Remerciements

La réalisation de cet ouvrage a été une grande aventure. Pour la mener à terme, j'ai pu compter sur la collaboration et le soutien de plusieurs personnes.

Je voudrais d'abord remercier toute l'équipe d'ERPI, qui a fait un travail formidable. Je pense notamment à Muriel Normand, coordonnatrice aux réalisations graphiques, et à Martin Tremblay, concepteur graphique. Je tiens également à souligner le magnifique travail de supervision éditoriale de Liette Beaulieu. Je remercie aussi Jean-Pierre Albert, vice-président exécutif, et Micheline Laurin, directrice de développement de produits, qui ont cru en ce projet et ont permis qu'il se concrétise.

Par ailleurs, cet ouvrage n'aurait jamais été aussi complet sans la précieuse contribution de mon ami Sandy Fournier. L'artisan du jeu-questionnaire en ligne et des montages vidéo présentés sur le Compagnon web, c'est lui !

Un grand merci à MM. Pierre Olivier et Guy April, qui ont accepté de procéder à la révision des chapitres présentant les différents éléments techniques et tactiques. Ces collaborateurs d'exception sont reconnus pour leurs compétences ainsi que pour leur engagement dans le monde du badminton au Québec. Ils ont tous les deux une formation d'éducateur physique et œuvrent depuis plus de 30 ans dans le monde de l'enseignement et du coaching. M. Pierre Olivier a lui-même mené une carrière d'athlète en badminton, puis est devenu entraîneur-chef de l'équipe du Québec et assistant de l'équipe nationale de badminton. Détenteur d'un niveau quatre d'entraîneur national en entraînement sportif (PNCE), il œuvre désormais comme formateur à la Fédération québécoise de badminton et secrétaire du conseil d'administration du réseau du sport étudiant Lac-Saint-Louis, tout en assumant ses fonctions de directeur des services éducatifs et responsable du sport scolaire au Collège Bourget, à Rigaud.

De son côté, M. Guy April est détenteur d'un niveau trois d'entraîneur national, il a été entraîneur-chef et entraîneur adjoint de l'équipe du Québec ainsi qu'entraîneur-chef du Rouge et Or de l'Université Laval. De plus, il est directeur de stage pour Badminton Québec depuis 25 ans et est membre de la commission pédagogique pour Badminton Québec. Il est actuellement directeur général du Collège Notre-Dame, à Rivière-du-Loup. Pouvoir compter sur l'aide de ces deux professionnels fut pour moi un réel plaisir et un honneur.

Par ailleurs, je tiens à remercier tout spécialement Louis Duperré, qui enseigne le badminton à l'Université de Sherbrooke : c'est lui qui a procédé à la révision des habiletés techniques et stratégiques de la première édition. Cet homme a su me transmettre sa passion de l'enseignement du badminton.

Je ne voudrais pas non plus oublier dans ces remerciements tous les professeurs qui utilisent l'ouvrage et qui l'ont commenté, contribuant ainsi à l'amélioration de mon travail. Je remercie aussi les athlètes qui ont participé aux séances de photographie et de tournage des vidéos, notamment Francis Soucy, Mireille Denis, Hoang-Nam Vo-Le, Sakmony Sith, Simon Bordeleau, Keng Fuk Chhan, Isabelle Doucet et Takahashi Huynh.

Enfin, j'aimerais remercier affectueusement ma conjointe, Marie-Andrée Blanchet, pour son aide technique en informatique, sa patience et surtout son soutien moral.

Sylvain Lehoux

Sylvain Lehoux, diplômé de l'Université de Sherbrooke, est professeur d'éducation physique depuis 14 ans. Véritable passionné de badminton, il pratique activement ce sport depuis plus de 20 ans. Il enseigne actuellement au Collège de Bois-de-Boulogne de même qu'à l'Université du Québec à Montréal.

Table des matières

Chapitre 4

◢ Révision

◢ DEUXIÈME PARTIE
Évaluations et progression

Chapitre 5

Chapitre 6

Chapitre 7

Chapitre 8

Chapitre 9

PREMIÈRE PARTIE

DESCRIPTION DES ÉLÉMENTS DE BASE

Dans la première partie de cet ouvrage, nous vous présentons les éléments de base du badminton. Que ceux-ci soient théoriques, techniques ou tactiques, bien les connaître vous aidera à améliorer votre niveau de jeu, peu importe que vous soyez un joueur débutant, intermédiaire ou avancé. Nous vous offrons des descriptions exhaustives des techniques et des tactiques, pour une utilisation par tous les joueurs.

Si vous êtes débutant, vous ne devez pas travailler tous les éléments présentés : concentrez-vous sur ceux qui sont accompagnés d'un petit carré bleu dans les fiches ou qui sont en bleu dans le texte. Si vous êtes d'un niveau avancé, les éléments qui sont en vert dans le texte s'adressent en particulier à vous.

Le chapitre 1 aborde les origines du badminton, ses principales règles et son équipement. Nous y offrons aussi quelques conseils de début d'apprentissage.

Les chapitres 2 et 3 portent sur les habiletés techniques. Nous y décrivons, sous forme de fiches, la plupart des coups et la manière dont on doit les exécuter. Nous nous attardons ensuite aux déplacements, qui sont d'une importance capitale.

Le chapitre 4 traite des tactiques de base à appliquer lors d'un match. La tactique est étroitement liée à la maîtrise technique : plus cette dernière est grande, plus l'éventail tactique est large.

Après cela, la section «Révision» vous permet, avec ses questions, d'évaluer vos connaissances et vos progrès.

LA DESCRIPTION TECHNIQUE

Qu'est-ce que le badminton? Quelles en sont les origines? Comment y joue-t-on? Ce premier chapitre propose une description de ce sport dans ses grandes lignes. Nous aborderons son histoire, ses règles et l'équipement qu'il requiert. Nous terminerons avec quelques conseils pratiques pour les débutants.

LES ORIGINES ET L'HISTOIRE DU BADMINTON

Le badminton est, de nos jours, un sport qui connaît une très grande popularité. Ses origines sont très anciennes, mais il est difficile de les déterminer avec précision. On sait cependant que les Chinois s'adonnaient, il y a plus de 2 000 ans, à des jeux de volants frappés avec les pieds. Par ailleurs, on voit, sur des peintures du XVIIe siècle, des gens qui s'échangent un objet à l'aide d'une raquette. Ce jeu s'appelait le *battledore* ou le *shuttlecock*. Il évolua avec l'utilisation de raquettes de bois et la diversification des projectiles (morceau de liège, balle de laine, etc.). Ce n'est que vers l'an 1700 qu'on ajouta des plumes au liège afin d'en ralentir la chute.

En Inde, au XIXe siècle, l'occupant britannique s'est familiarisé avec un autre ancêtre du badminton : le *poona*. Deux équipes, formées de quatre ou cinq joueurs, s'affrontaient sur un terrain divisé par un filet. Les partenaires d'une même équipe s'échangeaient une balle légère jusqu'à ce qu'ils soient en mesure de l'envoyer dans la zone adverse. Vers 1870, des officiers anglais déployés en Inde s'approprièrent le *poona* et, de retour au Royaume-Uni, le développèrent. Le jeu y connut une vive popularité. C'est en 1873, à la Badminton House, résidence du duc de Beaufort, que le sport tel qu'on le connaît aujourd'hui vit le jour. Les invités voulaient s'adonner au *poona*, mais n'avaient pas de balle pour jouer ; ils eurent donc l'idée de fixer des plumes à un bouchon de liège. Dans la journée, il se mit à pleuvoir, ce qui les incita à se mettre à l'abri. L'un des participants eut l'idée d'attacher le filet dans le hall d'entrée. Comme l'espace était restreint, on augmenta la hauteur du filet à 1,5 m et on diminua le nombre de joueurs à deux par équipe.

Afin de faciliter, d'uniformiser et de régir la pratique de ce nouveau jeu, il fallait en déterminer les règles. C'est en 1877, au Pakistan, qu'on proposa une première codification. En 1893, on créa l'Association de badminton d'Angleterre[1], qui développa ces règlements et les rendit officiels, en plus de contribuer à l'évolution du sport et à sa diffusion ailleurs dans le monde. Ce n'est pourtant qu'en 1972, à Munich, qu'eurent lieu, en démonstration, les premières compétitions olympiques de badminton.

En raison des liens importants qui unissent l'Angleterre et l'Inde, le badminton s'est rapidement implanté dans ce pays et ailleurs en Asie. Encore aujourd'hui, ces deux nations constituent des puissances mondiales du badminton. Le Danemark, la Chine, la Corée, la Malaisie, les Pays-Bas et l'Indonésie comptent également dans leurs rangs les joueurs les plus redoutables du monde.

---

1. Badminton Association of England (BAofE), aujourd'hui Badminton England.

LE TERRAIN, LE BUT DU JEU ET LES RÈGLEMENTS

Le terrain

On pratique le badminton sur un terrain rectangulaire de 13,40 m sur 6,10 m (figure 1). Le terrain est divisé en deux parties séparées par un filet. En simple, on compte un joueur de chaque côté du filet ; en double, on y compte deux joueurs. Le haut du filet doit être à 1,52 m du sol au centre du terrain et à 1,55 m sur les côtés.

L'aire de jeu n'est pas la même selon qu'on joue en simple ou en double. Dans les deux cas, le terrain a la même longueur. Cependant, en simple, celui-ci est plus étroit (figure 2), alors qu'en double l'utilisation des deux **couloirs (ou corridors) de côté**[2] fait en sorte qu'il est plus large (figure 3).

Figure 1   Terrain de badminton (lignes).

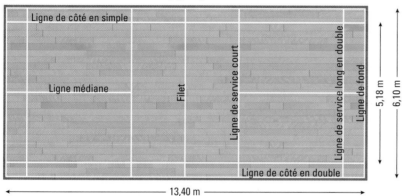

Figure 2   Terrain en simple (zones). 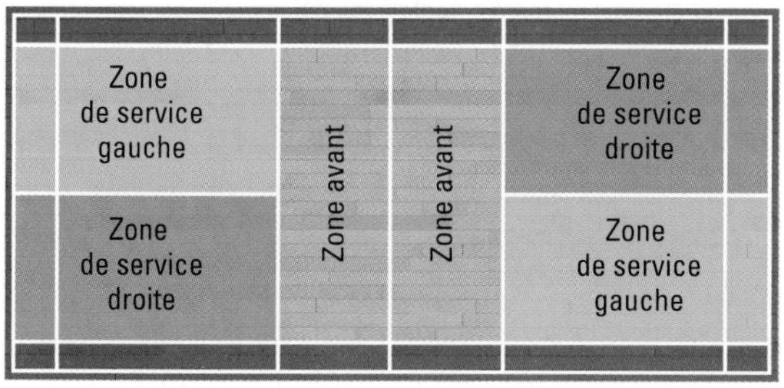   **Figure 3**   Terrain en double (zones).

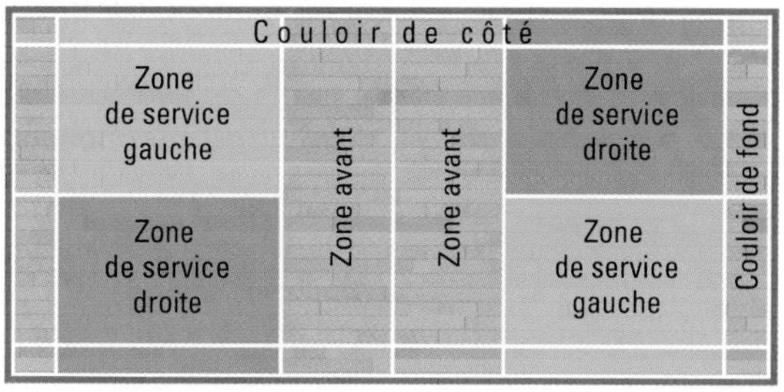

Le but du jeu

Le badminton compte les cinq disciplines suivantes : simple masculin, simple féminin, double masculin, double féminin et double mixte. Le but du jeu est d'envoyer, à l'aide d'une raquette, un volant dans le terrain de l'adversaire de manière à ce que celui-ci ne soit pas en mesure de le renvoyer de l'autre côté. Le volant doit absolument passer par-dessus le filet et ne doit pas toucher le sol.

---

2. Tous les mots en gras sont définis dans le lexique se trouvant à la fin du livre.

Les règlements

Cette présentation simplifiée des règlements est un résumé des *Règles officielles du badminton et recommandations,* elles-mêmes étant la traduction des *Laws of Badminton* établies par la Badminton World Federation (BWF). Il ne s'agit donc pas du texte intégral des règles utilisées lors des compétitions, mais d'une première approche s'adressant aux débutants et aux joueurs de loisir. Pour consulter les règlements complets, rendez-vous sur le Compagnon web du livre, où vous trouverez un lien.

Le déroulement d'un match

Pour gagner un **match** de badminton, un **camp** doit gagner deux **manches** de 21 points ; chaque manche est constituée d'un nombre variable d'**échanges** au terme desquels sont marqués les points. Tous les échanges mènent à un point.

Un camp gagne un échange lorsque le volant touche le sol du terrain adverse, lorsque le camp adverse renvoie le volant à l'extérieur des limites du terrain, qu'il ne réussit pas à renvoyer le volant ou qu'il commet une **faute**.

Le volant n'est plus en jeu dès qu'il touche le sol ou que, après avoir touché un poteau ou le filet, il retombe du côté de celui qui l'a frappé. Il en va de même lorsqu'il y a faute ou **reprise**.

Si le score atteint 20-20, la manche est prolongée, et c'est le camp qui, le premier, prend une avance de deux points qui la remporte. Si le score atteint 29-29, c'est le camp qui marque le 30e point qui remporte la manche. Le vainqueur d'une manche sert le premier à la manche suivante.

Les joueurs changent de côté de terrain après la première manche, après la deuxième manche (si une troisième manche doit avoir lieu) et pendant la troisième manche, dès qu'un camp atteint 11 points.

Avant de commencer une **partie**, on procède à un tirage au sort à l'aide d'une pièce ou d'un volant. Le camp vainqueur peut soit choisir son côté du terrain pour commencer la partie, soit décider de servir ou de recevoir en premier. L'autre camp a le choix inverse. Le premier **serveur** se place dans la **zone de service** droite et sert en direction du **receveur**, situé dans la zone de service diagonalement opposée (figure 4). Le receveur ne doit pas bouger avant que le serveur ait frappé le volant.

En simple, si le serveur gagne l'échange, il marque un point et continue à servir depuis l'autre zone de service ; si le receveur gagne l'échange, il marque un point et devient alors le nouveau serveur. *En double,* si l'équipe au service gagne l'échange, elle marque un point, et le joueur qui servait continue à servir depuis l'autre zone de service. Si l'équipe en réception de service gagne l'échange, elle marque un point et reprend le service.

Les positions de service et de réception

En simple, le serveur effectue le **service** à partir de la zone de service droite si son score est pair (0, 2, 4…), comme le montre la figure 4. Il l'effectue de la zone de service gauche si son score est impair (1, 3, 5…).

En double, au début d'une manche et quand le score du camp serveur est pair (0, 2, 4…), le service se fait à partir de la zone de service droite (figure 5); quand le score du camp serveur est impair (1, 3, 5…), le service se fait à partir de la zone de service gauche. Le joueur du camp receveur qui a servi le dernier doit rester dans la zone de service où il était à ce moment. Pendant une manche, les joueurs changent de zone de service lorsqu'ils ont le service et marquent un point. Les partenaires du serveur et du receveur peuvent se placer où ils veulent, à condition de ne pas leur gêner la vue.

Figure 4   Position du serveur en simple.

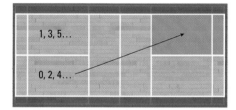

Figure 5   Position du serveur en double.

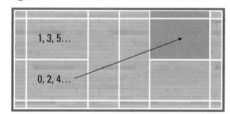

Règles à respecter lors du service

Le serveur doit :

- ▶ tout comme le receveur, maintenir une partie de chaque pied en contact avec le sol, en position stationnaire jusqu'à ce que le volant soit frappé (le serveur et le receveur ne peuvent toucher les lignes qui délimitent les zones de service) ;
- ▶ attendre que le receveur soit prêt avant de servir ;
- ▶ frapper la base du volant ;
- ▶ frapper le volant alors qu'il est sous la hauteur de la deuxième côte flottante ;
- ▶ faire en sorte que la tête de sa raquette soit orientée vers le bas au moment où il frappe le volant (la tige doit être au moins légèrement inclinée) ;
- ▶ faire en sorte que sa raquette avance constamment (pas d'arrêt ni de retour en arrière).

Lors d'un service, le volant peut toucher le filet, pourvu qu'il atterrisse dans la bonne zone de service.

Un joueur commet une erreur de zone de service s'il sert ou reçoit alors que ce n'est pas son tour, ou s'il sert ou reçoit dans la mauvaise zone de service. Si on se rend compte d'une telle erreur, on la corrige, mais le score est maintenu.

Les reprises (*lets*)

Il y a reprise lorsque :

- le serveur sert avant que le receveur ne soit prêt ;
- le serveur et le receveur commettent simultanément une faute lors du service ;
- le volant reste accroché sur le dessus du filet (sauf au service) ;
- le volant se désintègre pendant l'échange ; la base du volant se sépare complètement de l'empennage ;
- un événement imprévu ou accidentel se produit.

S'il y a reprise, l'échange en cours (depuis le dernier service) ne compte pas, et le joueur qui a servi recommence.

Les fautes

Il y a faute lorsque :

- le service est incorrect ;
- le receveur entreprend un déplacement précipité ou touche aux lignes délimitant la zone de service ;
- le volant tombe à l'extérieur du terrain (un volant est jugé en jeu si sa base touche la ligne) ;
- le volant passe sous le filet ou à travers lui ;
- la raquette ou les vêtements d'un joueur touchent le filet alors que le volant est en jeu ;
- un joueur frappe le volant avant qu'il ne pénètre dans son terrain (on peut néanmoins terminer le mouvement dans le terrain adverse après avoir frappé le volant, pourvu qu'on ne touche pas au filet et qu'on ne nuise pas à l'adversaire) ;
- un joueur porte puis lance volontairement le volant avec sa raquette ;
- un joueur frappe le volant deux fois de suite avec deux gestes (il n'y a pas faute, cependant, si la raquette touche le volant deux fois dans un même mouvement continu ou si le cadre et le cordage de la raquette touchent le volant d'un seul coup) ;
- un joueur et son partenaire frappent successivement le volant ;
- le volant touche le corps ou les vêtements d'un joueur, le plafond ou tout objet situé à l'extérieur du terrain ;
- un joueur a une conduite offensante ;
- en double, le partenaire du receveur renvoie le service ;
- le serveur, en essayant de servir, manque le volant ;
- un joueur ou sa raquette empiètent sur le terrain adverse ;
- un joueur fait obstruction à son adversaire en l'empêchant de compléter son geste suivi par-dessus le filet.

Les pauses

Dès qu'un camp atteint 11 points dans une manche, les joueurs ont droit à une pause de 60 secondes.

Entre les manches, les joueurs ont droit à une pause de 120 secondes.

LA RAQUETTE

La raquette est l'outil qu'on utilise pour frapper le volant (figure 6). Sa longueur ne doit pas excéder 68 cm, et sa largeur, 23 cm. Ses différentes parties sont le **cadre**, le **cordage** ou le **tamis**, la **tige**, le fuseau et le manche. Le cadre et le cordage constituent la **tête** ; c'est avec cette dernière qu'on frappe le volant.

Il existe une grande variété de raquettes. On doit tenir compte de certains éléments afin d'en choisir une qui corresponde à ses besoins : niveau d'habileté et morphologie (grandeur des mains) du joueur ; coût de la raquette.

Le prix de vente des raquettes varie considérablement selon les matériaux dont elles sont fabriquées. Celles qu'utilisent les joueurs de haut niveau sont composées de graphite et de carbone ; elles sont donc fort légères et très rigides. Elles coûtent cependant plutôt cher (de 100 $ à 250 $). Les joueurs intermédiaires optent souvent pour des modèles plus abordables (de 40 $ à 100 $), faits de graphite et d'aluminium. D'autres raquettes, en aluminium et en acier, sont assez bon marché (de 15 $ à 35 $) ; elles sont toutefois beaucoup plus lourdes que les autres et ne permettent pas de frapper avec autant de puissance et de précision.

Si vous êtes débutant ou intermédiaire et que vous désirez jouer régulièrement, nous vous conseillons d'acquérir une raquette dont le prix se situe entre 40 $ et 70 $. Utilisez un cordage en nylon dont la tension est d'environ 8 kg (18 lb). Assurez-vous que son manche offre une bonne adhérence.

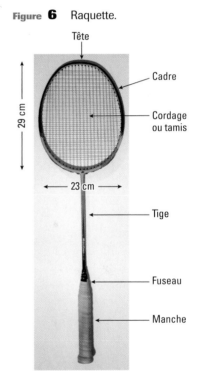

Figure 6   Raquette.

Tête

Cadre

Cordage ou tamis

29 cm

23 cm

Tige

Fuseau

Manche

LE VOLANT

Description

Le volant est le projectile utilisé pour jouer au badminton. Il est constitué de deux parties principales : l'**empennage** et la **base**, ou la tête. C'est cette dernière qu'on frappe avec la raquette. La forme conique du volant accroît sa résistance à l'air, ce qui lui permet de décélérer en peu de temps. Son poids varie de 4,74 g à 5,50 g.

Il existe deux types de volants : ceux dont l'empennage est fait de plumes d'oie (figure 7, p. 10) et ceux dont il est fait de nylon (figure 8, p. 10). Les volants de plumes procurent plus de précision, mais coûtent beaucoup plus cher et ont une durée de vie nettement plus courte. Ils sont surtout utilisés par les joueurs de haut niveau. Si vous êtes débutant ou intermédiaire, optez plutôt pour des volants de nylon, en prenant soin de choisir ceux dont la base est en liège. Le prix de vente pour une boîte de six est d'environ 12 $.

Figure 7   Volant de plumes d'oie.

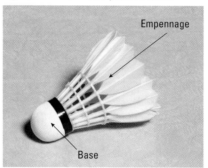

Figure 8   Volant de nylon.

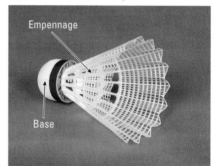

La tenue du volant

On doit tenir le volant entre le pouce et l'index, juste sous sa base, au début de l'empennage (figure 9). De cette façon, on s'assure que sa chute sera bien verticale, sans mouvement de bascule ni oscillation, et qu'il ne se déformera pas.

Figure 9   Tenue du volant.

La vitesse du volant

Il est très important de vérifier régulièrement la vitesse du volant, avant et pendant le match. Un volant trop rapide ou trop lent peut nuire à l'un ou l'autre des joueurs. Ceux qui smashent très fort aiment un volant rapide, alors que ceux qui affrontent un adversaire puissant en préfèrent un lent.

Il arrive que des joueurs peu scrupuleux modifient la vitesse du volant sans en avertir leur adversaire, afin de prendre avantage sur lui ; il s'agit d'une pratique contraire aux règles.

Pour vérifier la vitesse du volant, il suffit de se positionner dans le couloir de fond et d'effectuer un coup vif et prompt par en dessous (le même mouvement que pour un **service long** tendu) ; sa **trajectoire** doit être basse (figure 10, p. 11). La vitesse du volant est réglementaire s'il atterrit dans le **couloir (ou corridor) de fond** ou moins de 30 cm avant la **ligne de service long en double**.

Figure **10**   Vérification de la vitesse du volant.

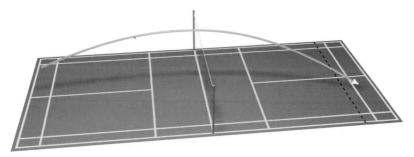

Lorsqu'on juge qu'un volant est trop rapide, il est possible de le ralentir. Il suffit d'accroître la circonférence de son empennage (sans le déformer), ce qui a pour effet de diminuer sa vitesse, à la manière d'un parachute.

QUELQUES CONSEILS DE DÉBUT D'APPRENTISSAGE

Si vous souhaitez améliorer votre niveau et, ce faisant, vos performances, vous devez travailler votre jeu sous différents aspects. Vous devez perfectionner vos qualités physiques, psychologiques, techniques et tactiques.

- ▶ Qualités physiques : puissance (force, vitesse), endurance, force, souplesse, vitesse, **coordination** ;
- ▶ Qualités psychologiques : concentration, détermination, combativité, contrôle des émotions, patience, attention ;
- ▶ Qualités techniques : maîtrise des différents coups, orientation spatiale, coordination œil-main-raquette, jeu de pieds, **feintes** ;
- ▶ Qualités tactiques : observation des situations d'équilibre et de déséquilibre de l'adversaire afin d'en tirer profit, anticipation, sens de l'observation, analyse de l'adversaire, prise de risques.

Le badminton nécessite le développement d'habiletés techniques relativement complexes. Si vous êtes débutant et que vous souhaitez acquérir les gestes appropriés, vous devrez surmonter certaines difficultés. Ce jeu étant très rapide, il offre peu de temps de réaction. Vous devez coordonner vos mouvements avec la trajectoire et la vitesse du volant, vous déplacer au bon endroit et adopter une posture stable tout en étant très attentif à l'exécution correcte de votre coup. Il y a donc beaucoup d'information à analyser et d'ajustements à effectuer.

Acquérir les bons gestes techniques est très important. Si vous êtes débutant, nous vous recommandons d'acquérir les mouvements en milieu contrôlé et de porter attention à un ou deux éléments à la fois, pas plus. C'est pourquoi nous vous recommandons de respecter une progression tenant compte de vos capacités, de votre rythme d'apprentissage et de votre expérience.

Voici les difficultés que rencontrent souvent les nouveaux joueurs, ainsi que les solutions à envisager pour les surmonter.

La coordination œil-main-raquette

En début d'apprentissage, plusieurs joueurs trouvent difficile de bien se placer par rapport au volant. Ils sont incapables d'effectuer les ajustements posturaux nécessaires pour bien le frapper, et ils ne sont pas conscients du fait que la raquette constitue le prolongement de leur bras.

Si vous comptez parmi ces joueurs, vous devrez apprendre à juger la distance qui sépare la tête de la raquette de votre corps, un élément des plus importants pour qui veut développer sa coordination œil-main et la relation corps-objet; cela vous aidera à établir la portée dont vous disposez pour frapper le volant.

Si vous manquez souvent le volant, nous vous recommandons d'effectuer des exercices de manipulation avec la raquette. Vous pouvez par exemple ramasser le volant au sol, le faire bondir sur la raquette en **coup droit** et en **revers**, le frapper contre un mur, etc. Vous pouvez aussi faire des exercices sans vous déplacer, avec des volants lancés.

L'analyse de la trajectoire et la synchronisation du geste

D'un coup à l'autre, le volant n'a presque jamais la même trajectoire, et sa vitesse varie énormément. Comme débutant, vous trouverez ardu de coordonner vos mouvements avec ces diverses trajectoires tout en vous concentrant sur la technique, puisque vous devez en même temps analyser diverses informations.

Pour vous consacrer en priorité à l'apprentissage des gestes techniques, concentrez-vous sur un ou deux éléments techniques par mouvement et demandez à un partenaire de vous lancer des volants avec les mains. Cette méthode vous évite d'avoir à vous déplacer et de devoir évaluer la vitesse et la trajectoire du projectile. Graduellement, au fur et à mesure que le mouvement se précise, augmentez-en le degré de difficulté.

La distance des envois

Un autre problème rencontré en début d'apprentissage concerne la distance des retours. L'efficacité des coups dépend en grande partie de la maîtrise des gestes techniques. Si on est incapable d'effectuer les mouvements correctement, il devient difficile de diriger les retours aux bons endroits. Une erreur commise par plusieurs débutants consiste à concentrer leurs efforts uniquement sur la puissance de frappe : ils renvoient le volant le plus loin possible, mais de manière plutôt maladroite.

Le meilleur moyen pour éviter que puissance et distance prennent trop d'importance consiste à vous exercer devant un mur. Vous pouvez ainsi vous concentrer sur le geste technique. On pratique souvent un tel exercice en vue de maîtriser des coups demandant beaucoup de puissance (dégagé, smash, dégagé du revers). Au fur et à mesure de votre progression, vous pourrez vous éloigner du mur, voire travailler sur le terrain.

La longueur des mouvements

La maîtrise de l'amplitude des gestes constitue une difficulté majeure dans l'acquisition et l'intégration des mouvements. Puisque ces derniers sont pour la plupart très longs et qu'ils doivent être exécutés en respectant plusieurs éléments techniques, il est ardu de bien les reproduire.

Pour faciliter l'apprentissage des gestes, raccourcissez-les. Utilisez une progression permettant de faire l'acquisition du geste à l'envers : attardez-vous d'abord au point d'impact, puis allongez le geste en précisant les autres éléments à respecter. À mesure que le mouvement s'améliore, augmentez la longueur du geste pour le mener jusqu'à sa phase initiale. C'est un peu comme visionner un film en marche arrière.

Les déplacements

Au badminton, les déplacements sont très nombreux et s'effectuent dans toutes les directions. De mauvais déplacements nuisent énormément à la réussite des coups. Pour accroître l'efficacité de ces derniers, vous devez apprendre à vous déplacer assez rapidement pour vous placer derrière le volant, prendre des appuis stables et vous rééquilibrer. L'acquisition des bons pas permet également d'améliorer toutes les autres facettes de votre jeu. Il vous faut donc y porter une attention particulière.

Afin de faciliter l'intégration des déplacements, exercez-vous à en faire sans volant (exemples : exercices de jeux de pieds, exercices avec une échelle, comme au football). Vous pouvez les intégrer à l'échauffement, et les faire dans un espace réduit afin de diminuer leur longueur.

Quelques conseils avant d'aller plus loin

Plus fréquentes seront les occasions de mettre en pratique de nouvelles techniques, plus grande sera votre maîtrise du jeu. Jouez davantage en simple ; vous aurez ainsi la chance de frapper beaucoup plus de coups ; faites des exercices simples et effectuez des retours hauts afin de donner le temps à votre opposant de se déplacer pour bien exécuter ses mouvements. L'essentiel est d'expérimenter des mises en situation variées, mais adaptées à vos besoins et à vos capacités.

CHAPITRE 2

LA DESCRIPTION TECHNIQUE
DES COUPS

Le badminton est un sport qui requiert l'apprentissage de nombreux mouvements complexes. Afin de faciliter l'assimilation des différents coups, il est primordial d'analyser ces gestes étape par étape, en allant du simple au complexe. On doit aborder la prise de raquette, la posture, l'extension du bras, etc. Ce chapitre explique donc en détail les différents coups de base qu'on peut utiliser lorsqu'on pratique le badminton. Chaque coup présenté est décortiqué en trois phases distinctes : la phase préparatoire, la phase d'exécution et la phase finale. La phase préparatoire précise la posture que le joueur doit adopter avant d'effectuer le mouvement de frappe. La phase d'exécution, quant à elle, décrit le mouvement de frappe proprement dit. Enfin, la phase finale spécifie la façon de bien terminer le mouvement.

Bien qu'il soit important de vous familiariser avec les techniques des coups et de les développer, celles-ci ne doivent pas devenir un objectif ultime. L'amélioration de la qualité technique de vos coups comporte néanmoins plusieurs avantages. Une bonne exécution des coups vous permet d'avoir une grande efficacité mécanique, une bonne qualité de contact avec le volant, de développer une certaine régularité, d'éviter certaines blessures, de dépenser moins d'énergie, de maximiser votre puissance de frappe, d'accroître la précision et le contrôle de vos coups. Conséquemment, elle favorise une meilleure application des stratégies et laisse moins de temps à l'adversaire pour réagir. **Pour les joueurs avancés, les possibilités de raffinement et de variété qu'offre la maîtrise des coups de base aident à masquer ces derniers et à feinter, et rendent possible l'exécution de coups à effet (brossés et coupés). Le Compagnon web présente des coups spécifiques pour joueurs avancés.**

COMPAGNON
WEB MD

CONSIDÉRATIONS TECHNIQUES DE BASE

A vant de décrire en détail les différents coups, il est important de se familiariser avec des considérations techniques s'appliquant à l'ensemble des coups de base. La connaissance de ces éléments vous aidera à progresser rapidement.

▶ Gardez le volant dans votre champ de vision en tout temps ; regardez-le sans cesse lors de l'exécution d'un coup.

▶ Utilisez la prise universelle pour les coups droits, et la prise de revers (pouce à plat) pour les coups du côté du revers.

▶ Frappez le volant avec le bras en **extension** (légèrement incomplète), ce dernier agissant comme un levier. En l'allongeant, on développe sa puissance. Il est important de frapper le volant le bras bien dégagé du corps.

▶ Pour les coups qui requièrent plus de puissance, amorcer le mouvement (balancier, boucle) en avançant d'abord le coude dominant, ce qui permettra de bien effectuer le mouvement de rotation de l'avant-bras juste avant le contact avec le volant. En coup droit, il s'agit d'une **pronation** : l'avant-bras effectue une rotation vers l'intérieur du corps (figure 11). En revers, il s'agit d'une **supination** : l'avant-bras effectue une rotation vers l'extérieur du corps (figure 12). La rapidité de ces rotations augmente considérablement la vitesse de la tête de la raquette, ce qui lui permet de transmettre plus de puissance au volant.

Figure 11   Pronation de l'avant-bras.

Figure 12   Supination de l'avant-bras.

▶ Faites contact avec le volant le plus haut possible, de 10 à 20 cm à l'extérieur de l'épaule dominante par rapport à l'axe du corps ; cela permet de transmettre la force de votre corps au volant de manière optimale (transfert de poids), d'exécuter une plus grande variété de coups et d'accroître vos angles d'attaque.

▶ Lors de l'exécution des frappes hautes en coup droit, placez vos épaules de profil ou perpendiculairement au filet avant d'effectuer le coup (figure 13). Tout votre corps doit participer au mouvement afin d'optimiser le **transfert de poids**, initié par une flexion de la jambe dominante suivie d'une extension de celle-ci ; le mouvement se poursuit avec une rotation des hanches pendant que le bras dominant trace une boucle derrière vous et que votre tronc revient face au filet. L'extension du bras suivie d'une pronation de l'avant-bras termine le mouvement. Cet enchaînement d'actions permet le développement d'une plus grande puissance, un meilleur masquage des coups, une plus grande précision, une économie d'énergie, un meilleur angle d'attaque, la possibilité de frapper le volant plus tôt, etc.

Figure 13 Placement de profil.

▶ Ayez toujours en tête de frapper le volant le plus tôt possible tout en vous assurant que vous avez un bon contrôle de votre posture et de votre équilibre, ce qui vous permettra d'exécuter des coups beaucoup plus précis. Pour diverses raisons, les joueurs de haut niveau préfèrent exécuter les coups droits de l'arrière du terrain, en **suspension**.

▶ Effectuez toujours le dernier pas sur votre jambe dominante (la jambe droite pour un droitier).

▶ Accélérez la vitesse de la tête de la raquette en effectuant une grande boucle avec celle-ci. Cela permet de frapper le volant avec plus de puissance. Si vous êtes débutant, ne tenez pas compte de cet élément technique pour l'instant : raccourcissez la longueur de vos mouvements.

▶ Terminez les mouvements qui requièrent de la puissance du côté opposé. Les gestes fluides, rapides et de grande amplitude bien effectués diminuent les risques de blessure. Par exemple, le dégagé demande un geste qui s'amorce en haut du **côté dominant** et qui s'achève en bas du côté opposé.

LES PRISES DE RAQUETTE

Il existe plusieurs façons de tenir une raquette, chacune pouvant varier selon les habiletés du joueur, les coups effectués, sa position sur le terrain et sa position par rapport au volant. Si vous êtes débutant, nous vous recommandons fortement de bien assimiler la prise universelle (voir fiche 1, p. 18) ; celle-ci permet l'exécution du mouvement de pronation et, conséquemment, l'apprentissage des coups de base en coup droit (services, dégagés, lobs, amortis, etc.). Vous pourrez vous initier à d'autres prises de raquette dès que vous aurez acquis les habiletés de base. Certaines d'entre elles permettent de générer plus de puissance, que ce soit en coup droit ou en revers, alors que d'autres favorisent la précision et la rapidité d'exécution.

FICHE 1 LA PRISE UNIVERSELLE

On utilise la prise universelle pour exécuter des coups du côté dominant (droit pour les droitiers, gauche pour les gauchers). Cette prise permet de générer plus de puissance en coup droit. Elle favorise en effet l'accélération de la tête de la raquette de manière optimale lors de la pronation de l'avant-bras.

- Tenir la raquette par la tige avec la main **non dominante** de manière à ce que le tamis soit perpendiculaire au sol (une des deux faces étroites du manche vers le sol).

- Avancer la main dominante vers la raquette comme pour faire une poignée de main.

- Tenir la raquette à l'extrémité du manche.

- Faire reposer le pouce sur la partie la plus large du manche, mais pas à plat.

- Entourer le manche avec l'index, qui doit être détendu (saisir la raquette avec les doigts, pas avec la paume de la main).

- Former un V avec le pouce et l'index, et s'assurer qu'il pointe en direction de l'épaule non dominante.

FICHE 2 LA PRISE DE REVERS

On utilise la prise de revers pour exécuter des coups du côté non dominant. Elle permet dans ces circonstances d'augmenter la puissance grâce à l'action du pouce, qui agit comme un levier.

- Tenir la raquette à l'extrémité du manche.

- Appuyer la face interne du pouce à plat sur le côté le plus large du manche de la raquette.

- Saisir la raquette avec les doigts, pas avec la paume de la main.

3 LA PRISE RACCOURCIE

La prise raccourcie ressemble beaucoup à la prise universelle. Cependant, au lieu de tenir la raquette par le bout du manche, il faut la tenir près de la tige. Cette prise permet d'exécuter des coups avec rapidité et finesse, mais avec moins de puissance. On l'utilise davantage en double. Le joueur au filet s'en sert pour prendre l'adversaire de vitesse, pour éviter de toucher le filet ou pour accroître sa précision. Elle est aussi utile pour contrer les attaques dirigées au corps.

- Tenir la raquette par la tige avec la main non dominante, de manière à ce que le tamis soit perpendiculaire au sol (l'une des deux faces étroites du manche vers le sol).

- Avancer la main dominante vers la raquette comme pour faire une poignée de main.

- Tenir la raquette près de la tige.

- Faire reposer le pouce sur la partie la plus large du manche, mais pas à plat.

- Entourer le manche avec l'index, qui doit être détendu.

LA POSITION CENTRALE ET LA POSTURE DE BASE

ne bonne **position centrale** et une **posture de base** dynamique permettent au joueur de se mouvoir rapidement dans toutes les directions et de bien protéger son territoire. La position centrale fait référence à l'endroit du terrain où le joueur doit se replacer après chaque coup afin de bien couvrir toute son aire de jeu. La posture, quant à elle, correspond à l'attitude générale du corps, à la façon de se tenir.

4 LA POSITION CENTRALE

La position centrale idéale doit permettre de couvrir efficacement tout son territoire. Le joueur doit être en mesure d'atteindre tous les volants, que ceux-ci se dirigent vers la zone située à proximité du filet, vers la **zone arrière** ou vers les **lignes de côté**. La longueur des déplacements doit être sensiblement la même, peu importe leur direction. La meilleure position est donc près du centre de son terrain. Après chaque coup, le joueur doit la reprendre. Il arrive cependant qu'il n'en ait pas le temps. On doit toujours s'immobiliser avant le coup de l'adversaire pour ne pas se faire prendre à contre-pied, et ce, même si le replacement n'est pas totalement effectué.

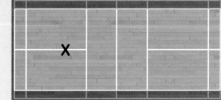

LA POSTURE DE BASE

La posture de base correspond à la position du tronc et des membres, donc à la manière de se tenir. Celle-ci doit favoriser une mise sous tension optimale de tous les muscles qui sont sollicités lors des déplacements, l'objectif étant de se déplacer le plus rapidement possible.

- Écarter les pieds à la largeur des épaules ou un peu plus (pieds parallèles).
- Faire reposer le poids du corps sur la plante des pieds (talons décollés du sol).
- Fléchir légèrement les genoux.
- Placer les épaules face au filet.
- Incliner légèrement le tronc vers l'avant.
- Tenir la raquette à la hauteur de l'abdomen.

LES SERVICES

Le service est le premier coup effectué lors d'un échange. Il consiste à mettre le volant en jeu. Pour ce faire, il existe différentes techniques dont l'utilisation varie selon le but à atteindre et la préférence du joueur. Nous en abordons trois : le service court, le service long et le service court asiatique.

LE SERVICE COURT

Le **service court** est une mise en jeu qui s'effectue de profil par rapport au filet, en frappant en coup droit. Sa trajectoire est courte et basse. Le volant doit passer le plus près possible du filet et tomber tout près de la **ligne de service court** adverse. Lorsqu'elle est bien effectuée, cette mise en jeu limite les possibilités de réponse de l'adversaire, puisque ce dernier doit faire un retour dont la trajectoire sera nécessairement ascendante. Le service court diminue également de beaucoup les risques de retours puissants.

Phase préparatoire

- Se placer à environ 1 m de la ligne de service et près de la **ligne médiane** (en simple).
- Faire pointer le pied non dominant en direction de l'envoi et placer le pied dominant en arrière de façon à former un angle de 45 degrés entre les deux pieds (la position doit être confortable).
- Tenir le volant entre le pouce et l'index devant soi, à la hauteur de la poitrine.
- Placer l'épaule non dominante face au filet.
- Amener la tête de la raquette vers l'arrière, à la hauteur des hanches, l'avant-bras en supination, le bras en légère extension et le poignet en extension et en **déviation radiale**.

Phase d'exécution ❷

- Laisser chuter le volant devant soi, légèrement du côté dominant, puis amorcer le mouvement par un transfert de poids de la jambe dominante (arrière) à la jambe non dominante (avant). Décoller le talon du pied dominant du sol afin de faciliter la rotation des hanches et des épaules.
- Effectuer une rotation des hanches et des épaules.
- Amorcer un mouvement de balancier du bras dominant, vers l'avant et de bas en haut ; le mouvement commence derrière le corps, en avançant d'abord le coude dominant.
- Juste avant de frapper le volant, effectuer une légère pronation de l'avant-bras.
- Frapper le volant légèrement devant le corps, à la hauteur des cuisses ou de la taille.

Phase finale ❸

- Terminer le mouvement devant le corps, la tête de la raquette à la hauteur de la poitrine. (Le poids du corps porte principalement sur la jambe non dominante et les épaules font face au filet.)
- Déplacer le pied dominant vers l'avant jusqu'à ce que les deux pieds soient parallèles ; il s'agit de retrouver la posture de base.

FICHE

7   LE SERVICE LONG

Le **service long** est une mise en jeu qui s'effectue de profil par rapport au filet, en frappant en coup droit. Sa trajectoire est haute et profonde, le volant étant dirigé vers le couloir de fond. Idéalement, la chute du volant devrait être verticale, le rendant plus difficile à juger et à frapper par le receveur. Bien effectué, ce service contraint le receveur à reculer et donne au serveur du temps pour réagir. On utilise davantage ce service en simple.

Avec la même exécution technique, il est possible d'effectuer un service long tendu, ayant une trajectoire longue et basse, afin de surprendre l'adversaire.

Service long

Service long tendu

Phase préparatoire ❶

- Se placer à environ 1 m de la ligne de service court et près de la ligne médiane.
- Faire pointer le pied non dominant en direction de l'envoi et placer le pied dominant en arrière de façon à former un angle de 45 degrés entre les deux pieds (la position doit être confortable).
- Tenir le volant entre le pouce et l'index devant soi, à la hauteur de la poitrine.
- Placer l'épaule non dominante face au filet.
- Amener le coude dominant vers l'arrière et relever la tête de la raquette à la hauteur des oreilles (pour qu'elle forme un angle d'environ 45 degrés avec le sol), l'avant-bras en pronation et le poignet en extension et en déviation radiale.

Phase d'exécution ❷ ❸

- Laisser chuter le volant devant soi, légèrement du côté dominant, puis amorcer le mouvement par un transfert de poids de la jambe dominante (arrière) à la jambe non dominante (avant). Décoller le talon du pied dominant du sol afin de faciliter la rotation des hanches et des épaules.
- Effectuer une rotation des hanches et des épaules. Au même moment, le bras dominant est amené en extension derrière le corps, la tête de la raquette amorçant une boucle.
- Amorcer un mouvement de balancier du bras dominant, vers l'avant et de bas en haut; le mouvement commence derrière le corps, en avançant d'abord le coude dominant – ce qui permettra de bien effectuer par la suite la pronation de l'avant-bras. (La tête de la raquette passe sous la hauteur des genoux.)
- Juste avant de frapper le volant, effectuer une pronation vive et prompte de l'avant-bras.
- Frapper le volant légèrement au-dessus de la hauteur des genoux, devant soi, vis-à-vis du pied non dominant.

Phase finale ❹

- À la suite de la pronation et de l'impact, faire suivre à la raquette la trajectoire du volant, puis faire terminer sa course au-dessus de l'épaule non dominante, le bras en flexion.
- Déplacer le pied dominant vers l'avant jusqu'à ce que les deux pieds soient parallèles; il s'agit de retrouver la posture de base.

FICHE

8   LE SERVICE COURT ASIATIQUE

Le **service court asiatique** partage les objectifs du service court traditionnel. Cependant, il a l'avantage d'avoir une trajectoire encore plus courte puisque le serveur peut s'approcher très près de la ligne de service court. Les deux services se distinguent par leur exécution technique. Le service court asiatique requiert une tout autre posture de même qu'un mouvement très court, vif et sec. C'est le service le plus utilisé en double.

Phase préparatoire ①
- Utiliser la prise de revers.
- Écarter les pieds à la largeur des épaules, le pied dominant un peu plus en avant que l'autre pied. En double, se placer à une distance d'environ 5 cm de la ligne de service court et, en simple, à 1 m.
- Répartir son poids sur les deux pieds.
- Placer les épaules et les hanches face à la cible.
- Relever le coude dominant à la hauteur de l'épaule, en orientant la raquette vers le sol suivant un angle d'environ 45 degrés. La tête de la raquette est vis-à-vis de la hanche, du côté non dominant.
- Tenir le volant devant soi (par l'empennage, entre le pouce et l'index) à la hauteur de la taille.

Phase d'exécution ②
- Procéder simultanément à une légère extension du bras dominant vers l'avant et à une supination de l'avant-bras.
- Frapper le volant à la hauteur de la taille. Lors du contact de la raquette avec le volant, la tête de la raquette n'est que très légèrement inclinée vers l'arrière.

Phase finale ③
- Terminer le mouvement devant le corps, la tête de la raquette à la hauteur de la poitrine.

LES COUPS AU-DESSUS DU NIVEAU DE LA TÊTE

Les différents coups de base qu'on peut effectuer au badminton une fois la partie engagée sont présentés en fonction de la façon dont on frappe et de la trajectoire du volant : au-dessus du niveau de la tête, à mi-hauteur et par en dessous.

9 LE DÉGAGÉ

Le **dégagé** est un coup frappé au-dessus du niveau de la tête qu'on effectue du côté dominant à partir de la zone arrière. Le volant doit parcourir une très grande distance puisqu'il doit traverser tout le terrain et atterrir dans le couloir de fond adverse. Il doit donc avoir une trajectoire haute et profonde. Ce coup requiert beaucoup de puissance. Pour la développer, il faut réussir à effectuer une séquence de mouvements qui débute par les pieds et se termine par la pronation de l'avant-bras. Celle-ci permet d'accélérer très rapidement la tête de la raquette dans un mouvement court et explosif. De plus, la raquette doit percuter le volant à une hauteur optimale au-dessus du joueur, à l'extérieur de l'épaule dominante, afin d'accroître l'efficacité du transfert de poids.

Il existe trois types de dégagés : le défensif, l'offensif et le dégagé d'attaque. Les trois s'exécutent avec le même mouvement, mais on les pratique dans des contextes différents et leurs visées sont totalement distinctes. Le dégagé défensif s'effectue lorsqu'un joueur est en difficulté ; il permet au joueur de reprendre sa position centrale tout en ralentissant le rythme du jeu. Sa trajectoire est beaucoup plus haute que celle du dégagé offensif (le volant passe au-dessus de la raquette de l'adversaire, hors de sa portée), qu'on exécute pour prendre l'adversaire par surprise, le surprendre à contre-pied et diminuer son temps de réaction, le contraignant souvent à effectuer un retour défensif. Il permet également de créer une ouverture dans la **zone avant** adverse, le joueur étant repoussé. Le dégagé d'attaque a le même objectif que le dégagé offensif, mais sa trajectoire est encore plus basse.

Sur le plan technique, on pratique les dégagés offensif et d'attaque plus tôt que le dégagé défensif. Le contact avec le volant a donc lieu davantage devant le joueur, et l'angle de la tête de la raquette est moins incliné vers l'arrière que lors d'un dégagé défensif.

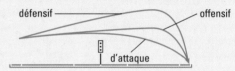

défensif — offensif

d'attaque

Phase préparatoire ❶

- Utiliser la prise de raquette universelle.
- Se déplacer rapidement afin d'être stable au moment du coup et terminer le déplacement en effectuant un blocage avec le pied dominant (arrière) parallèle à la **ligne de fond** (voir chapitre 3, fiche 23).
- Placer les épaules et les hanches perpendiculairement au filet.
- Lever le coude dominant jusqu'à la hauteur de l'épaule et l'amener vers l'arrière. Ainsi, la tête de la raquette est à la hauteur du visage et derrière soi, le bras fléchi, l'avant-bras en supination, le bras et l'avant-bras formant un angle de 45 degrés.
- L'épaule dominante est légèrement inclinée vers l'arrière, le coude dominant pointé vers le sol.
- Pointer le volant avec le bras non dominant.

Phase d'exécution ❷❸

- Amorcer le geste par une flexion de la jambe dominante suivie d'une poussée vers le haut. (Lors de la poussée, le talon du pied dominant se soulève.)
- Faire pivoter les hanches dans le sens antihoraire (droitiers), vers l'avant. Au même moment, il y a élévation du coude, l'épaule dominante tire vers l'arrière et la raquette trace une boucle derrière soi.
- Effectuer une rotation du tronc et des épaules dans le sens antihoraire (droitiers) de façon à ce que les épaules soient face au filet. (Amener le bras non dominant derrière le corps.)
- Effectuer une extension du bras dominant en avançant d'abord le coude (afin d'accroître l'efficacité de la pronation) et enchaîner avec une pronation rapide de l'avant-bras juste avant le contact avec le volant.
- Faire contact avec le volant le plus haut possible au-dessus de l'épaule dominante et légèrement à l'extérieur de celle-ci, la raquette inclinée vers l'arrière dans un angle plus ou moins prononcé selon l'effet désiré : dégagé offensif, d'attaque ou défensif.

Phase finale ❹

- Continuer le mouvement de pronation jusqu'à ce que l'épaule dominante ait ramené la tête de la raquette vers la hanche du côté non dominant.
- Reprendre l'équilibre en terminant le mouvement avec la jambe dominante en avant.

FICHE

10 LE DÉGAGÉ AUTOUR DE LA TÊTE

On utilise le dégagé autour de la tête (aussi connu sous son nom anglais d'*overhead*) pour frapper en coup droit un volant qui se dirige vers le côté revers au fond du terrain. Plus facile à exécuter, plus puissant et plus précis que le dégagé du revers (voir fiche 13, p. 28), il permet d'effectuer un grand éventail de coups (smash, amorti, dégagé, drive). Le dégagé autour de la tête est néanmoins difficile à maîtriser ; il est donc surtout pratiqué par les joueurs intermédiaires et avancés.

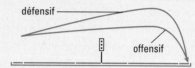

Phase préparatoire ❶

- Se déplacer rapidement afin de se rapprocher le plus possible du volant.
- Amener la jambe dominante légèrement vers l'arrière ; ce faisant, elle supporte le poids du corps.
- Placer les épaules parallèlement au filet.
- Lever le coude dominant jusqu'au niveau de l'épaule et l'amener vers l'arrière de façon à ce que le bras et l'avant-bras forment un angle de 45 degrés ; l'avant-bras est en supination, le poignet en extension et en déviation radiale.
- Orienter le corps vers le côté revers.

Phase d'exécution ❷

- Effectuer une poussée de la jambe dominante vers le côté opposé, le pied dominant quittant le sol.
- Induire à la raquette un mouvement circulaire et la faire passer derrière la tête.
- Arquer le corps latéralement face au filet.
- Effectuer une extension légèrement incomplète du bras dominant vers le côté opposé en avançant d'abord le coude (afin d'accroître l'efficacité de la pronation).
- Effectuer une pronation vive de l'avant-bras juste avant le contact avec le volant.
- Frapper le volant au-dessus de l'épaule non dominante. La jambe dominante est dans les airs pour maintenir l'équilibre du corps.

Phase finale ❸

- Poursuivre le mouvement de la raquette en direction du coup, puis ramener celle-ci vers le corps.
- Effectuer une poussée de la jambe non dominante afin de revenir au centre du terrain.

Il existe un type de dégagé autour de la tête qui requiert des pas différents et exige de **cambrer le dos**. Pour se mettre en position, il faut procéder à un déplacement vers l'arrière qui ressemble beaucoup au déplacement vers l'arrière au centre, mais qui est orienté vers le revers ; le pied droit devient ainsi parallèle à la ligne de fond. Cependant, lors du blocage, il n'y a pas de poussée vers l'avant comme lors d'un dégagé traditionnel.

L'**amorti** est un coup frappé au-dessus du niveau de la tête qui s'exécute à partir de l'arrière du terrain et dont l'objectif est la zone adverse située près du filet. Un tel coup vise à obliger l'adversaire à relever le volant, mais aussi à le surprendre et à le déséquilibrer. Étant donné que la phase préparatoire du mouvement est la même que celle du dégagé et du smash, l'opposant anticipe souvent un retour puissant. De plus, en s'approchant du filet, le joueur adverse crée une ouverture dans sa zone arrière.

Le geste technique de l'amorti est à peu de chose près le même que celui du dégagé. Un élément majeur le distingue cependant : la décélération du mouvement juste avant l'impact. Comme pour le dégagé, le point de contact avec le volant doit être le plus haut possible, mais ce dernier doit aller vers le bas et doit passer très près du filet.

Il existe deux types d'amortis : l'amorti lent et l'amorti rapide. Tous deux requièrent les mêmes mouvements, mais l'amorti rapide nécessite plus de puissance. Le point de chute du volant et les buts visés ne sont cependant pas les mêmes. Le choix de l'un ou de l'autre dépend de la position de l'adversaire.

L'amorti lent doit faire en sorte que le volant tombe bien en avant de la ligne de service court adverse, le plus près possible du filet. Si le coup est bien réussi, l'adversaire risque de renvoyer le volant dans le filet ou encore de le retourner haut, au centre du terrain adverse. L'amorti rapide, quant à lui, doit être dirigé vers une ligne de côté, à environ 60 cm derrière la ligne de service court. Mis sous pression, le joueur adverse dispose de moins de temps pour se déplacer et se rendre au volant.

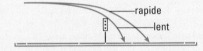

rapide
lent

Phase préparatoire identique à celle du dégagé ➊

Éléments qui distinguent l'amorti du dégagé lors de la phase d'exécution ➋

- Ralentir le mouvement du bras dominant ainsi que la pronation de l'avant-bras avant l'impact.
- Incliner légèrement la raquette vers l'avant pour imprimer au volant une trajectoire descendante.
- Frapper le volant à une hauteur optimale alors qu'il est devant soi, vis-à-vis de l'épaule dominante.

Élément qui distingue l'amorti du dégagé lors de la phase finale ➌

- Poursuivre le mouvement de la raquette en direction du coup puis ramener celle-ci vers la hanche du côté non dominant.
- Effectuer une poussée de la jambe non dominante afin de revenir au centre du terrain.

FICHE 12   LE SMASH

Le **smash** est un coup frappé au-dessus de la tête dont la trajectoire est descendante. *Il s'agit du coup le plus puissant au badminton,* et on l'observe surtout en double. On l'utilise souvent pour terminer un échange ou pour mettre le joueur adverse sous pression, le contraignant ainsi à effectuer un mauvais retour. La technique du smash est semblable à celle du dégagé, mais son exécution est plus complexe. Il demande une très bonne coordination, un excellent transfert de poids et une pronation prompte et vive de l'avant-bras.

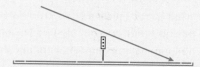

Phase préparatoire ❶

- Utiliser la prise de raquette universelle.
- Se déplacer rapidement afin d'être stable au moment du coup.
- Terminer le déplacement en effectuant un blocage avec le pied dominant (arrière) parallèle à la ligne de fond.
- Placer les épaules et les hanches perpendiculairement au filet.
- Lever le coude dominant jusqu'à la hauteur de l'épaule et l'amener vers l'arrière. Ainsi, la tête de la raquette est à la hauteur du visage (derrière soi), le bras fléchi, l'avant-bras en supination, le bras et l'avant-bras formant un angle de 45 degrés.
- L'épaule dominante est légèrement inclinée vers l'arrière, le coude dominant est pointé vers le sol.
- Pointer le volant avec le bras non dominant.

Phase d'exécution ❷

- Amorcer le geste par une flexion de la jambe dominante suivie d'une poussée vers le haut. (Lors de la poussée, le talon du pied dominant se soulève.)
- Faire pivoter les hanches dans le sens antihoraire (droitiers), vers l'avant. Au même moment, il y a élévation du coude, l'épaule droite tire vers l'arrière de manière à ce que la raquette trace une boucle derrière soi.
- Effectuer une rotation du tronc et des épaules dans le sens antihoraire (droitiers) de façon à placer les épaules face au filet. (Amener le bras non dominant derrière le corps.)
- Effectuer une extension du bras dominant en avançant d'abord le coude (afin d'accroître l'efficacité de la pronation) et enchaîner avec une pronation rapide de l'avant-bras juste avant le contact avec le volant.
- Entrer en contact avec le volant le plus haut possible devant soi, vis-à-vis de l'épaule dominante, la raquette inclinée vers l'avant pour imprimer au volant une trajectoire descendante.

Phase finale ❸

- Continuer le mouvement de pronation jusqu'à ce que la tête de la raquette atteigne la hanche du côté non dominant.
- Retrouver son équilibre en terminant avec la jambe dominante en avant.

COMPAGNON WEB

Le dégagé du revers (pour les joueurs intermédiaires et avancés) est un coup joué au-dessus du niveau de la tête du côté non dominant qu'on effectue de la zone arrière et qui a pour objectif le couloir de fond adverse. Le volant doit être frappé avec vigueur puisqu'il doit traverser tout le terrain. Sa trajectoire doit être haute et profonde, obligeant l'adversaire à reculer beaucoup, ce qui donne au joueur le temps de revenir au centre de son terrain. Ce coup requiert une bonne technique pour être efficace et éviter les blessures. Les éléments techniques les plus importants à maîtriser sont l'extension du bras et la supination de l'avant-bras. De tous les coups permis au badminton, il s'agit du plus complexe car ce n'est pas un mouvement naturel. En effet, il y a peu de sports où l'on doit se déplacer dans un sens et envoyer un projectile, une balle par exemple, dans une autre direction. Ce coup constitue souvent la plus grande faiblesse des joueurs.

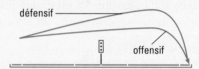

défensif

offensif

Phase préparatoire ❶
- Utiliser la prise de revers.
- Effectuer les déplacements appropriés (voir, dans le chapitre 3, la fiche 24 sur les déplacements vers l'arrière côté revers). Le déplacement se fait dos au filet, l'épaule dominante dirigée vers le coin arrière.
- Orienter le pied dominant vers la ligne de fond – ce dernier ne touche pas encore au sol.
- Supporter le poids du corps à l'aide de la jambe non dominante.
- Placer le coude près du corps (presque collé à celui-ci). La tête de la raquette se situe à la hauteur du visage.
- Incliner légèrement le corps vers l'avant.

Phase d'exécution ❷
- Amorcer le geste par une poussée verticale et légèrement horizontale de la jambe non dominante. Au même moment, effectuer une élévation du coude (mouvement de balancier). La tête de la raquette pointe vers le sol de façon à ce que la raquette soit perpendiculaire à celui-ci. L'avant-bras est en pronation.
- Simultanément, procéder à une extension légèrement incomplète du bras dominant vers le haut en élevant d'abord le coude (pour accroître l'efficacité de la supination) afin d'aller chercher le volant à la hauteur optimale, provoquant du même coup une extension de tout le corps.
- Juste avant de frapper le volant, effectuer une supination vive de l'avant-bras dominant.
- Frapper le volant devant soi (entre soi et la ligne de fond), du côté de l'épaule dominante, la raquette inclinée vers l'arrière. À noter que le pied dominant touche le sol au moment où la raquette entre en contact avec le volant ou légèrement après.

Phase finale ❸
- Bloquer le geste immédiatement après l'impact (il n'y a presque pas de continuation du mouvement).
- Effectuer un **pivot** sur le pied non dominant pour revenir en position centrale.

14   L'AMORTI DU REVERS

L'amorti du revers (pour les joueurs de niveau intermédiaire ou avancé) est un coup frappé au-dessus du niveau de la tête du côté non dominant qui s'exécute de la zone arrière du terrain et qui a pour objectif la zone adverse qui se situe près du filet. La trajectoire du volant doit être descendante. La raquette doit percuter le volant en douceur, au moment où ce dernier est le plus haut possible au-dessus du joueur. Ce coup vise à obliger l'adversaire à renvoyer le volant vers le haut. Il ressemble beaucoup au dégagé du revers, mais s'en distingue par une décélération du mouvement juste avant le contact avec le volant. Lorsqu'un joueur ne possède pas un bon dégagé du revers, l'adversaire peut facilement anticiper un retour en amorti.

Phase préparatoire ❶

- Utiliser la prise de revers.
- Effectuer les déplacements appropriés (voir, dans le chapitre 3, la fiche 24 sur les déplacements vers l'arrière côté revers). Le déplacement se fait dos au filet, l'épaule dominante dirigée vers le coin arrière.
- Orienter le pied dominant vers la ligne de fond – ce dernier ne touche pas encore au sol.
- Supporter le poids du corps à l'aide de la jambe non dominante.
- Placer le coude près du corps (presque collé à celui-ci). La tête de la raquette se situe à la hauteur du visage.
- Incliner légèrement le corps vers l'avant.

Phase d'exécution ❷

- Amorcer le geste par une poussée verticale et légèrement horizontale de la jambe non dominante. Au même moment, effectuer une élévation du coude (mouvement de balancier). La tête de la raquette pointe vers le sol de façon à ce que la raquette soit perpendiculaire au sol. L'avant-bras est en pronation.
- Simultanément, procéder à une extension légèrement incomplète du bras dominant vers le haut en élevant d'abord le coude afin d'aller chercher le volant à la hauteur optimale, provoquant du même coup une extension de tout le corps.
- Juste avant de frapper le volant, effectuer une supination vive mais contrôlée de l'avant-bras dominant.
- Frapper le volant légèrement à l'avant de l'épaule dominante, la raquette inclinée vers le filet pour imprimer au volant une trajectoire descendante. À noter que le pied dominant touche le sol au moment où la raquette entre en contact avec le volant ou légèrement après.

Phase finale ❸

- Bloquer le geste immédiatement après l'impact (il n'y a presque pas de continuation du mouvement, le geste étant ralenti).
- Effectuer un pivot sur le pied non dominant pour revenir en position centrale.

COMPAGNON web

LES COUPS À MI-HAUTEUR

15 LE DRIVE DU COUP DROIT ET DU REVERS

Le **drive** est un coup vif qui est frappé devant le joueur ou sur le côté du corps, à la hauteur de la tête environ, et qui est généralement dirigé vers les lignes de côté, dans le dernier tiers du terrain adverse. Il donne au volant une trajectoire horizontale ou légèrement descendante, le faisant passer près du filet. Il s'agit d'un coup offensif ou de contre-attaque qu'on utilise afin de surprendre l'adversaire ou pour reprendre l'attaque. En coup droit, le mouvement ressemble à celui du lancer de côté au baseball ; en revers, il ressemble au lancer traditionnel du frisbee.

Phase préparatoire ①
- Utiliser la prise universelle (drive du coup droit) ou la prise de revers (drive du revers).
- Orienter le pied dominant et la raquette en direction du volant.
- Effectuer une **fente avant ou latérale** de bonne amplitude à l'aide de la jambe dominante en posant d'abord le talon au sol (voir, dans le chapitre 3, les fiches 21 et 22 sur les déplacements vers l'avant et latéraux).
- En coup droit, amener la raquette sur le côté du corps, le bras en flexion et l'avant-bras en supination.
- En revers, amener la raquette du côté non dominant, le bras en flexion et l'avant-bras en pronation.

Phase d'exécution ②
- À la suite de la fente de la jambe dominante, fléchir légèrement la jambe non dominante pour permettre au pied de glisser de côté sur le sol afin d'accroître la stabilité.
- Exécuter une légère rotation des épaules.
- En coup droit, effectuer une légère extension du bras dominant en avançant d'abord le coude en direction du filet (afin d'accroître l'efficacité de la pronation) et faire suivre d'une pronation vive de l'avant-bras juste avant l'impact avec le volant.
- En revers, effectuer une extension légèrement incomplète du bras dominant en avançant d'abord le coude en direction du filet (afin d'accroître l'efficacité de la supination) et faire suivre d'une supination vive de l'avant-bras juste avant l'impact avec le volant.
- Faire contact avec le volant le plus haut possible, devant soi ou sur le côté du corps.

Phase finale ③
- En coup droit, terminer le mouvement du côté opposé, vis-à-vis de l'épaule non dominante, le bras fléchi.
- En revers, terminer le mouvement du côté opposé, vis-à-vis de l'épaule dominante, le bras fléchi.

Des photos du revers sont présentées en annexe, à la page 153.

16 ## L'ATTAQUE AU FILET DU COUP DROIT ET DU REVERS

L'**attaque au filet** (aussi connue sous son nom anglais de *rush*) est un coup demandant un mouvement court et vif, s'exécutant de la partie avant. Pour l'exécuter, on doit bondir sur le volant et le rabattre rapidement dans le territoire adverse. Après être passé près du filet, sa trajectoire est courte et en piqué, le volant touchant le sol derrière la ligne de service court adverse. En double, lorsqu'une équipe est en position offensive, le joueur avant l'utilise beaucoup en vue de mettre fin aux échanges en rabattant de mauvais retours (comme un service trop haut, un coup au filet trop haut, etc.). Il est préférable d'attaquer en parallèle, car un tel coup pratiqué en croisé ouvre le terrain à l'adversaire. Ce coup peut s'exécuter aussi bien en coup droit qu'en revers.

Phase préparatoire ➊
- Tenir la raquette à la hauteur de la tête, devant soi, le bras légèrement fléchi.
- Bondir vers le volant en amenant les épaules de profil par rapport au filet.
- Élever le bras non dominant derrière le corps.
- Freiner l'élan du corps vers l'avant à l'aide d'une fente avant avec la jambe dominante en posant d'abord le talon au sol.

Phase d'exécution ➋
- À la suite de la fente de la jambe dominante, fléchir la jambe non dominante légèrement pour permettre au pied de glisser de côté sur le sol afin d'accroître la stabilité.
- Effectuer une extension du bras dominant et enchaîner avec une pronation vive de l'avant-bras (coup droit).
- Effectuer une extension du bras dominant et enchaîner avec une supination vive de l'avant-bras ou une **flexion** latérale du poignet (coup du revers).
- Jouer le volant le plus haut possible et le frapper devant le corps en inclinant la tête de la raquette de façon marquée.

Phase finale ➌
- En coup droit, terminer l'attaque en effectuant un mouvement de balayage de côté ramenant la raquette vers l'épaule non dominante, le bras fléchi (afin de ne pas toucher au filet).
- En revers, terminer l'attaque en effectuant un mouvement de balayage de côté ramenant la raquette vers l'épaule dominante, le bras fléchi (afin de ne pas toucher au filet).
- Effectuer une poussée de la jambe dominante afin de se repositionner.

COMPAGNON **WEB**

Des photos du revers sont présentées en annexe, à la page 153.

FICHE 17 — LE COUP AU FILET DU COUP DROIT ET DU REVERS

Le **coup au filet** est un coup joué à partir de la zone avant et dont la trajectoire est basse et très courte. Sa précision est essentielle, car le volant doit passer juste au-dessus du filet pour retomber le plus près possible de celui-ci. Bien exécuté, ce coup oblige souvent l'adversaire à relever le volant. On le pratique aussi bien en coup droit qu'en coup du revers.

On utilise le coup au filet en réponse à un amorti ou à un autre coup au filet ; il peut aussi s'avérer utile comme retour de service. Il est important de frapper le volant alors que ce dernier est le plus haut possible, afin d'accroître son angle d'attaque et de diminuer le temps de réaction de l'adversaire. Celui présenté ici a pour objectif de faire basculer le volant au-dessus du filet. Le plus important, c'est de bien déposer le volant de l'autre côté du filet. Pour y arriver, la position du corps doit être adéquate et la raquette doit être dirigée vers le filet dans un mouvement horizontal. À un niveau de jeu plus élevé, il est généralement possible de faire un mouvement en J de haut en bas avec la raquette.

Phase préparatoire ❶
- Tenir la raquette à la hauteur de la poitrine, le bras légèrement fléchi.
- Effectuer une fente avant avec la jambe dominante, en posant d'abord le talon au sol. Fléchir la jambe dominante après avoir posé le talon au sol pour arrêter le mouvement du corps vers le filet ; cette façon de faire favorise le repositionnement après avoir frappé le volant (voir, dans le chapitre 3, la fiche 21 sur les déplacements vers l'avant, côté coup droit et côté revers).
- Garder le tronc droit. (Élever le bras non dominant derrière le corps pour maintenir l'équilibre.)

Phase d'exécution ❷
- Après avoir effectué la fente de la jambe dominante, fléchir légèrement la jambe non dominante pour permettre au pied de glisser de côté sur le sol afin d'accroître la stabilité.
- Effectuer une légère extension du bras dominant dans un mouvement horizontal dirigé vers le filet.
- Frapper le volant alors qu'il est à son plus haut (ne pas le laisser descendre), idéalement le poignet légèrement plus haut que la tête de la raquette.
- Au moment du contact avec le volant, incliner la face de la raquette vers le sol.

Phase finale ❸
- Arrêter la course de la raquette alors qu'elle est près du filet et parallèle au sol.
- Effectuer une poussée de la jambe dominante afin de revenir au centre du terrain.

Des photos du revers sont présentées en annexe, à la page 154.

FICHE 18   LE LOB DU COUP DROIT

Le **lob** est un coup joué par en dessous, à partir de la zone avant et dont la trajectoire est en hauteur et en profondeur. Son objectif est le couloir de fond adverse. On l'utilise en réponse à un amorti ou à un coup au filet. Il existe deux types de lobs, le défensif et l'offensif, qui se distinguent par leur trajectoire. Celle du lob défensif, qu'on utilise en vue de reprendre sa position centrale, est très haute. Celle du lob offensif, qu'on utilise pour repousser l'adversaire rapidement et profondément dans son territoire, pour le prendre par surprise ou pour diminuer son temps de réaction, est plus basse et plus tendue.

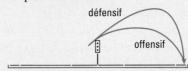

Phase préparatoire ①

- Amener la raquette vers l'arrière, le bras en légère flexion et l'avant-bras en pronation.
- Orienter le corps dans la direction du déplacement et effectuer une fente avant avec la jambe dominante en posant d'abord le talon au sol (voir, dans le chapitre 3, la fiche 21 sur les déplacements vers l'avant, côté coup droit et côté revers).
- Garder le tronc droit. (Élever le bras non dominant derrière le corps pour maintenir l'équilibre.)

Phase d'exécution ②

- Après avoir effectué la fente de la jambe dominante, fléchir légèrement la jambe non dominante pour permettre au pied de glisser de côté sur le sol afin d'accroître la stabilité.
- Amorcer un mouvement de balancier du bras dominant, vers l'avant et de bas en haut, commençant derrière le corps ; le coude dominant s'avance d'abord, ce qui permet de bien effectuer le mouvement de pronation de l'avant-bras.
- Juste avant l'impact avec le volant, effectuer une pronation vive et prompte de l'avant-bras dominant.
- Frapper le volant alors qu'il est à son plus haut (ne pas le laisser descendre), la tête de la raquette légèrement inclinée vers l'arrière.

Phase finale ③

- Terminer le geste avec la raquette du côté de l'épaule non dominante, l'avant-bras en pronation, en fléchissant légèrement le bras après l'impact.
- Effectuer une poussée de la jambe dominante afin de revenir au centre du terrain.

FICHE

19 LE LOB DU REVERS

Le lob du revers partage la trajectoire, les objectifs et la raison d'être du lob du coup droit. Il ne s'en distingue que par certains éléments de son exécution technique.

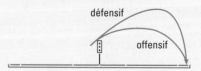

Phase préparatoire ❶

■ Utiliser la prise du revers.

■ Amener la raquette près du corps, le bras en légère flexion et l'avant-bras en position neutre.

■ Orienter le corps dans la direction du déplacement et effectuer une fente avant avec la jambe dominante en posant d'abord le talon au sol (voir, dans le chapitre 3, la fiche 21 sur les déplacements vers l'avant, côté coup droit et côté revers).

■ Garder le tronc droit. (Élever le bras non dominant derrière le corps pour maintenir l'équilibre.)

Phase d'exécution ❷

■ Après avoir effectué la fente de la jambe dominante, fléchir légèrement la jambe non dominante pour permettre au pied de glisser de côté sur le sol afin d'accroître la stabilité.

■ Amorcer un mouvement de balancier avec le bras dominant, vers l'avant et de bas en haut en avançant d'abord le coude dominant, ce qui permettra de bien effectuer le mouvement de supination de l'avant-bras.

■ Enchaîner avec une légère extension du bras dominant ainsi qu'une supination explosive de l'avant-bras juste avant l'impact.

■ Frapper le volant alors qu'il est à son plus haut (ne pas le laisser descendre), la tête de la raquette légèrement inclinée vers l'arrière.

Phase finale ❸

■ Arrêter la course de la raquette devant soi, l'avant-bras en supination.

■ Effectuer une poussée de la jambe dominante afin de revenir au centre du terrain.

FICHE 20   LE RETOUR DE SMASH DU COUP DROIT ET DU REVERS

Le **retour de smash** est un coup à basse altitude qu'on exécute de la partie centrale du terrain afin de répliquer à des attaques puissantes de l'adversaire. Il s'agit d'un coup défensif effectué sous pression, pour lequel on dispose de très peu de temps pour se déplacer (la phase préparatoire est ainsi quasiment inexistante). On exécute la majorité des retours de smash du revers, ce côté permettant une meilleure protection du corps, des mouvements courts et explosifs et la défense d'une plus grande surface de jeu.

Il existe trois types de retours de smash : le retour haut et profond (défensif), le retour au filet et le retour drive (offensif). Le retour haut et profond a pour objectif le couloir de fond et sert à repousser l'adversaire et à se donner le temps de bien se positionner en vue du coup suivant. Le retour au filet est un retour à basse altitude qui a pour objectif la partie avant du terrain adverse. Bien effectué, il neutralise l'attaque de l'adversaire en le prenant de vitesse, en le déstabilisant et en le contraignant à relever le volant. Le retour drive consiste quant à lui à renvoyer le volant profondément et rapidement, avec une trajectoire horizontale. On l'utilise pour repousser l'adversaire dans son territoire, pour le prendre par surprise et pour lui enlever du temps de réaction.

Le retour haut et profond et le retour drive commandent un geste du bras qui s'apparente beaucoup à celui du lob. Avant l'impact, le bras s'avance et s'élève, puis l'avant-bras effectue une rotation très vive. Le retour au filet, quant à lui, demande d'orienter la raquette dans la trajectoire du volant et de bloquer le smash en absorbant une partie de sa force, un peu comme pour un coup au filet.

Les déplacements s'effectuent à l'aide de pas courus ou chassés. Ces coups requièrent une fente avant ou latérale avec la jambe dominante. Exceptionnellement, il arrive que le joueur soit contraint d'effectuer une fente latérale avec la jambe non dominante, lorsqu'il est mis sous pression extrême.

Tous les types de retours de smash ont la même phase préparatoire, soit l'adoption de la posture de base.

Phase préparatoire ❶

- Utiliser la prise de revers si on joue du côté revers.
- Adopter une posture de base démontrant une attitude très alerte.
- Tenir la raquette devant le corps, à la hauteur de l'abdomen, le coude dégagé du corps.
- Amener le corps et la raquette du côté du coup à jouer, le bras en légère flexion.

RETOUR HAUT ET PROFOND PUIS RETOUR DRIVE

Phase d'exécution ❷

- Effectuer un pas d'ajustement afin de bien se positionner par rapport au volant. En revers, effectuer si possible une légère fente avant et, en coup droit, une légère fente latérale.
- Amorcer un mouvement de balancier avec le bras dominant, vers l'avant et de bas en haut, en avançant d'abord le coude dominant, ce qui permettra de bien effectuer le mouvement de rotation de l'avant-bras.
- Avant l'impact, effectuer une supination vive de l'avant-bras (coup du revers) ou une pronation (coup droit).
- Faire contact avec le volant le plus haut possible devant soi.

Phase finale ❸

- Terminer la course de la raquette devant soi, à la hauteur de la tête, la tête de la raquette étant orientée en direction de l'envoi (coup du revers).
- Terminer la course de la raquette devant soi, à la hauteur de la tête, la tête de la raquette étant vis-à-vis de l'épaule non dominante (coup droit).

RETOUR AU FILET

Phase d'exécution

- Orienter la raquette vers la trajectoire du volant.
- Bloquer le smash en absorbant une partie de sa force.
- Faire contact avec le volant le plus haut possible devant soi.

Phase finale

- Bloquer le mouvement après l'impact.

Des photos du coup droit sont présentées en annexe, à la page 154.

RÉSUMÉ DES SERVICES ET DES COUPS

Service court : Mise en jeu qui s'effectue de profil par rapport au filet, en frappant en coup droit. Sa trajectoire est courte et basse. Le volant doit passer le plus près possible du filet et tomber tout près de la ligne de service court adverse. Bien effectué, ce service limite les possibilités de réponse de l'adversaire, ce dernier devant faire un retour dont la trajectoire sera nécessairement ascendante.

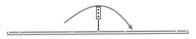

Service long : Mise en jeu qui s'effectue de profil par rapport au filet, en frappant en coup droit. Sa trajectoire est longue et très haute pour obliger le receveur à reculer et donner au serveur du temps pour réagir. Elle peut être basse et rapide, dans le cas d'un service long tendu, pour surprendre l'adversaire. Le volant doit tomber dans le couloir de fond.

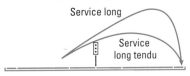

Service court asiatique : Mise en jeu qui s'effectue face au filet, en frappant du revers. Sa trajectoire est courte et basse. Le volant doit passer le plus près possible du filet et tomber tout près de la ligne de service court adverse. Bien effectué, ce service limite les possibilités de réponse de l'adversaire, ce dernier devant faire un retour dont la trajectoire sera nécessairement ascendante.

Dégagé : Coup frappé au-dessus du niveau de la tête qu'on effectue de la zone arrière et dont la trajectoire est en hauteur et en profondeur. Le volant franchit toute la longueur du terrain pour tomber dans le couloir de fond. Ce coup vise à repousser l'adversaire au fond de son territoire.

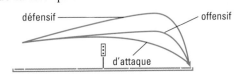

Amorti : Coup frappé au-dessus du niveau de la tête qu'on effectue de la zone arrière et dont la trajectoire est basse et descendante. Le volant doit tomber près du filet dans le terrain adverse. Ce coup vise à surprendre l'adversaire et à l'obliger à relever le volant.

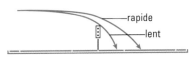

Smash : Coup offensif le plus puissant au badminton, frappé au-dessus du niveau de la tête et dont la trajectoire est en piqué. Ce coup vise à mettre fin à l'échange ou à mettre l'adversaire sous pression.

Dégagé du revers : Coup frappé au-dessus du niveau de la tête, du côté non dominant, qu'on exécute de la zone arrière et dont la trajectoire est en hauteur et en profondeur. Le volant franchit toute la longueur du terrain pour tomber dans le couloir de fond. Ce coup vise à repousser l'adversaire au fond de son territoire.

Amorti du revers : Coup frappé au-dessus du niveau de la tête, du côté revers, qu'on exécute de la zone arrière et dont la trajectoire est basse et descendante. Le volant doit tomber près du filet dans le terrain adverse. Ce coup vise à surprendre l'adversaire et à l'obliger à relever le volant.

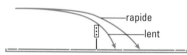

Drive : Coup puissant joué à la hauteur de la tête, dont la trajectoire est basse et tendue. Après être passé près du filet, le volant doit tomber à l'arrière du terrain adverse. Ce coup vise à surprendre l'adversaire et à le mettre sous pression.

Attaque au filet : Coup vif qu'on exécute à la hauteur de la tête, à partir de la zone avant. Sa trajectoire est courte et en piqué ; le volant passe près de la bande supérieure du filet et touche le sol derrière la ligne de service court adverse. On l'utilise pour mettre fin à un échange en rabattant des retours trop hauts.

Coup au filet : Coup joué à partir de la zone avant et dont la trajectoire est très courte. Le volant doit passer juste au-dessus du filet et retomber le plus près possible de ce dernier. Ce coup vise à forcer l'adversaire à relever le volant.

Lob : Coup joué par en dessous, à partir de la zone avant, et dont la trajectoire est en hauteur et en profondeur. Le volant doit tomber dans le couloir de fond. Il vise à repousser l'adversaire au fond de son territoire.

Retour de smash : Coup à basse altitude effectué à partir de la zone centrale du terrain et qu'on utilise pour rediriger les attaques puissantes de l'adversaire. Il s'agit d'un coup défensif à pratiquer quand on est mis sous pression. Il en existe trois types : le retour haut et profond, le retour drive et le retour au filet.

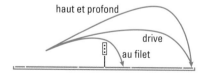

CHAPITRE 3

LES DÉPLACEMENTS

Comme vous le savez sans doute, le badminton est avant tout un sport de déplacements. Ce chapitre traite donc en détail des différents déplacements qu'il est essentiel d'apprendre et d'améliorer pour accroître la qualité et l'efficacité de son jeu, et ce, à tous les niveaux.

Des déplacements adéquats permettent de couvrir l'espace de jeu plus rapidement, d'accroître sa stabilité et de frapper le volant à une hauteur optimale, ce qui améliore les trajectoires d'attaque et, ce faisant, la précision, la puissance et la qualité des coups pouvant être exécutés. Ils limitent également les situations de déséquilibre, contribuant par conséquent à diminuer les mauvais retours ainsi que les blessures dues à un mauvais équilibre. On peut ainsi retourner de manière plus efficace les coups de l'adversaire, même les mieux réussis. De plus, bien se déplacer se traduit par une économie d'énergie et une meilleure efficacité mécanique.

D'un point de vue tactique, des déplacements appropriés permettent une bonne lecture du jeu de l'adversaire et favorisent le jeu offensif. En interceptant le volant très rapidement, on diminue le temps de réaction de l'adversaire et on le met davantage sous pression. D'autre part, de bons déplacements permettent d'accroître le temps dont le joueur dispose pour l'exécution technique de ses gestes : il a ainsi le loisir de les perfectionner et d'apprendre à masquer ses coups.

CONSIDÉRATIONS TECHNIQUES DE BASE

Avant d'étudier les particularités de chaque type de déplacement, prenez le temps de vous familiariser avec les quelques conseils et considérations techniques générales qui suivent. Ils vous aideront à progresser rapidement.

▶ Après chaque coup, revenez en position centrale et adoptez la posture de base. Bien entendu, ce n'est pas toujours possible. Ce qui importe, c'est au moins de retrouver votre équilibre juste avant le coup de l'adversaire, pour éviter de vous faire prendre à contre-pied. Il vaut mieux effectuer un long déplacement que changer de direction alors qu'on est déjà en mouvement. N'amorcez pas votre déplacement avant de connaître la direction dans laquelle vous aurez à vous déplacer.

▶ Effectuez toujours le dernier pas précédant la frappe sur la jambe dominante, quelles que soient la direction et la longueur du déplacement – à l'exception du déplacement vers l'arrière côté non dominant frappé du revers.

▶ Déplacez-vous rapidement afin de jouer le volant le plus tôt et le plus haut possible. N'oubliez pas de toujours garder les yeux sur le volant.

▶ Le chemin le plus court est toujours la ligne droite : déplacez-vous directement du point de départ au point d'arrivée.

▶ Orientez votre corps dans la direction du déplacement à effectuer. Lorsque vous êtes appelé à reculer et que vous désirez frapper du côté dominant, il est conseillé, pendant le déplacement vers l'arrière, de faire pivoter vos épaules de façon à les positionner perpendiculairement au filet avant d'entreprendre le mouvement de frappe. Cette façon de faire favorise une utilisation optimale de tout le corps (transfert de poids lors de l'exécution) permettant de masquer vos coups, d'effectuer des frappes variées, de générer plus de puissance et d'optimiser la précision.

▶ Soyez stable au moment de frapper : ayez les deux pieds au sol et mettez fin au déplacement en effectuant un blocage avec la jambe dominante (*dip*) avant de frapper le volant. Le contrôle de l'équilibre corporel est très important.

▶ Effectuez des pas d'ajustement pour bien vous positionner par rapport au volant. Frappez le volant avec le bras dominant en extension légèrement incomplète afin de transmettre un maximum de puissance. Pour y arriver, vous devrez tantôt vous rapprocher du volant, tantôt vous en éloigner. Idéalement, faites contact avec le volant le plus tôt possible devant vous. Bondissez sur celui-ci tel un prédateur sur une proie : ne laissez pas le volant venir à vous.

▶ Lors des déplacements vers l'avant, essayez de garder le tronc droit au moment de la fente, bien que ce ne soit pas toujours possible. Lorsque vous serez sous pression ou en retard sur le volant, vous serez contraint d'augmenter l'ampleur de la fente et, par conséquent, de vous pencher vers l'avant. D'autre part, évitez le plus possible de faire fluctuer la hauteur du bassin lors des déplacements, ce qui entraîne une perte de vitesse.

▶ Avant même d'entreprendre un déplacement, observez bien les gestes et les mouvements de votre adversaire et tentez de capter le maximum d'informations que ce dernier pourrait vous fournir. La position de son corps, l'endroit où il se trouve sur le terrain et la hauteur à laquelle il frappera le volant en disent beaucoup sur le coup qu'il va exécuter. Il est donc parfois possible de prédire le coup de l'adversaire et, par le fait même, d'anticiper le déplacement que vous aurez à effectuer.

LE SAUT D'ALLÈGEMENT (PRÉLIMINAIRE)

Avant chaque déplacement, nous vous recommandons d'effectuer un saut d'allègement (figure 14). Il s'agit d'un petit saut (de 2 à 5 cm) qu'on fait au moment où l'adversaire frappe le volant. Il permet de mobiliser tous les muscles sollicités lors des déplacements et assure une meilleure impulsion (réaction musculaire). Un muscle préalablement étiré développe plus de force-vitesse (puissance). Il est important de bien orienter la position de ses pieds, car une mauvaise orientation fait perdre du temps et rend le déplacement suivant difficile. Le saut d'allègement permet un ajustement rapide de la position des pieds, donc l'exécution du déplacement désiré.

Figure 14
Saut d'allègement.

LES PAS

Le badminton compte quatre types de pas de base : les pas courus, les pas chassés, les pas croisés et les pas à cloche-pied. Ils permettent au joueur de se mouvoir dans toutes les directions. Le nombre de pas à faire pour atteindre le volant varie sans cesse pendant un échange. De plus, pour un même déplacement, le nombre de pas à effectuer peut varier d'un individu à l'autre. Il dépend de la taille du joueur (de sa morphologie), de sa souplesse, de ses qualités musculaires et de sa technique de déplacement. Par ailleurs, il varie aussi selon le temps dont le joueur dispose et la distance qu'il doit parcourir. Il n'existe donc pas de recette magique qui convienne à tous. Certains joueurs utilisent des pas plutôt bizarres, ce qui ne les empêche pas d'être très efficaces.

Les **pas courus** sont semblables à ceux de la marche et de la course. Les pieds sont parallèles, et il suffit de les appuyer au sol en alternance. Ils permettent de se déplacer rapidement vers l'avant, par contre ils limitent les réactions du joueur pris à contre-pied. On utilise surtout ces pas lors d'un déplacement vers l'avant ou d'un retour au centre consécutif à un déplacement vers l'arrière. Certains joueurs y ont recours lorsqu'ils ont à se diriger rapidement vers l'arrière, dans le coin opposé à leur dernière frappe effectuée de la zone avant. On peut également faire appel aux pas courus lorsqu'on désire effectuer un déplacement vers la zone arrière et qu'on est contraint de frapper du revers. Les pas courus à reculons sont contre-indiqués lorsqu'on a à faire un long déplacement vers l'arrière : ils occasionnent déséquilibre et perte de temps. De plus, ils ne permettent pas d'effectuer un blocage efficace, d'adopter une bonne posture avant de frapper et, subséquemment, ne favorisent pas le repositionnement du joueur.

Les **pas chassés**, quant à eux, se pratiquent de la manière suivante : à la suite d'un pas de la jambe dominante, le pied non dominant glisse au sol pour aller rejoindre et chasser le pied dominant. On peut recourir à ces pas pour se déplacer dans presque toutes les directions. Ils ont l'avantage d'être très efficaces lorsqu'on est en déséquilibre ou pris à contre-pied ; ils permettent de retrouver l'équilibre plus facilement et de se repositionner plus aisément. Les joueurs débutants les préfèrent souvent aux pas croisés, plus difficiles à maîtriser.

Les **pas croisés** se font ainsi : à la suite d'un pas de la jambe dominante, le pied non dominant passe devant ou derrière le pied dominant de manière à ce que les jambes se croisent. Les pas croisés permettent dans certains cas de couvrir une grande distance. Par contre, tout comme les pas courus, ils limitent les réactions du joueur pris à contre-pied. On peut les utiliser dans le cas de déplacements du côté dominant dans toutes les directions.

Les **pas à cloche-pied**, enfin, se font en sautillant sur le même pied. Il s'agit d'effectuer deux pas consécutifs sur le même pied. Ce type de pas est très efficace pour changer de direction ou pour faire un pivot, effectuer un départ rapide, et ce, peu importe la position du joueur sur le terrain ou le déplacement à faire. On peut y avoir recours pour modifier rapidement sa position par rapport au volant ou comme pas d'ajustement.

Le recours à l'un ou à l'autre pas dans une situation donnée peut évoluer au fur et à mesure que votre niveau de jeu s'améliore. Utilisez davantage des pas chassés ou des pas croisés pour reculer de la position centrale à la zone arrière du terrain lorsque vous souhaitez frapper du côté dominant. Vous pourrez ainsi faire rapidement pivoter les épaules de façon à les positionner perpendiculairement au filet avant d'entreprendre le mouvement de frappe. De façon générale, tout le corps bougera mieux.

LES DIFFÉRENTES PHASES DES DÉPLACEMENTS

Peu importe la direction dans laquelle vous désirez vous déplacer, nous vous conseillons, pour faciliter l'apprentissage des déplacements, de décomposer ceux-ci en trois phases distinctes : le départ, le trajet et l'arrêt. Avant même d'amorcer votre déplacement, vous devez adopter une bonne posture de base qui vous permettra de vous déplacer rapidement dans toutes les directions. Cette posture correspond à la phase de départ.

La phase de trajet correspond à l'enchaînement des différents types de pas (courus, chassés, croisés, à cloche-pied) que vous utilisez pour vous déplacer en vue d'atteindre le volant. Lors de cette phase, vous devez avoir recours à des pas qui vous permettent d'être rapide, à l'aise, stable et grâce auxquels vous pourrez contrôler votre équilibre lors de l'impact.

La dernière phase correspond à l'arrêt du déplacement, qui survient généralement juste avant la frappe, à l'aide de la jambe dominante.

LES CATÉGORIES DE DÉPLACEMENTS

Nous classons les déplacements selon trois catégories qui tiennent compte de la zone qu'ils permettent de couvrir : déplacements vers l'avant, déplacements latéraux et déplacements vers l'arrière.

Nous vous présentons ici les éléments essentiels à maîtriser pour exécuter de bons déplacements – ils sont illustrés pour les droitiers ; si vous êtes gaucher, il vous suffit de les effectuer du côté opposé. Nous expliquons et décrivons comment atteindre le volant à partir de la zone centrale. Nous n'abordons pas spécifiquement le retour en position centrale après chaque frappe. Néanmoins, les principes de base pour le déplacement vers le volant peuvent être utilisés pour le retour au centre du terrain. À la suite de chaque frappe ou fin d'un déplacement s'amorce une nouvelle phase de départ, un second déplacement.

LÉGENDE DES SCHÉMAS DES DÉPLACEMENTS

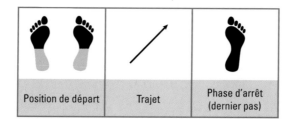

| Position de départ | Trajet | Phase d'arrêt (dernier pas) |

21   LES DÉPLACEMENTS VERS L'AVANT

On pratique les déplacements vers l'avant pour se diriger vers la zone adjacente au filet. Afin de s'assurer qu'il puisse réagir instantanément et dans le but d'accroître sa vitesse de déplacement, le joueur doit adopter une posture de base dynamique lui permettant de se mouvoir dans toutes les directions. Les déplacements vers l'avant peuvent faire appel à différents types de pas (courus, chassés, croisés). Le plus important est que chaque joueur utilise des pas avec lesquels il se sent à l'aise et qui lui permettent de se déplacer rapidement et d'être stable au moment de frapper le volant.

Comme nous l'avons vu, le dernier pas doit toujours se terminer par un blocage de la jambe dominante, avec une fente avant de grande envergure (semblable à celle effectuée en escrime), que ce soit pour frapper en coup droit ou en revers. Pour amorcer la fente, on dépose le talon du pied dominant au sol en s'assurant que le pied reste dans l'axe du déplacement afin d'éviter les blessures ; puis on effectue un blocage avec la jambe dominante en la fléchissant. L'angle au niveau du genou devrait être de plus de 100 degrés. Une bonne fente avant permet de freiner l'élan du corps vers l'avant, d'atteindre le volant rapidement et d'être en équilibre au moment de frapper. De plus, elle permet d'augmenter l'amplitude des mouvements et évite des pas inutiles. Après l'impact, le joueur doit effectuer une poussée dynamique de la jambe dominante pour retourner au centre du terrain.

L'exécution d'une fente requiert la participation de la jambe non dominante : on doit la fléchir légèrement pour permettre au pied de glisser de côté sur le sol au moment du blocage effectué par la jambe dominante. Ce mouvement, combiné à une fente avant soutenue, permet d'accroître la stabilité lors de la frappe et favorise le repositionnement au centre du terrain.

Phase de départ

- Adopter une posture de base dynamique permettant de se déplacer rapidement dans toutes les directions (voir page 20).
- Effectuer un saut d'allègement pour favoriser une reprise d'appuis dynamiques.

Phase de trajet

- Utiliser une série de pas permettant de se déplacer rapidement (courus, chassés, croisés…).
- Éviter de faire varier la hauteur du bassin lors du déplacement, garder la tête haute et le tronc droit.
- Orienter tout le corps en direction du déplacement à effectuer, y compris les épaules.

Phase d'arrêt

- Effectuer un blocage en réalisant une grande fente avant avec la jambe dominante : déposer d'abord le talon au sol en pointant le pied dans l'axe du déplacement. Au moment d'exécuter la fente, garder le tronc droit.
- En exécutant la fente, fléchir légèrement la jambe non dominante et faire glisser le pied de côté afin d'accroître la stabilité et la fluidité du déplacement.

Déplacement vers l'avant du côté dominant

Déplacement vers l'avant du côté revers

22 LES DÉPLACEMENTS LATÉRAUX

On pratique les déplacements latéraux pour se diriger vers les zones du terrain situées près des lignes de côté. Tout comme dans le cas des déplacements vers l'avant, le joueur doit adopter une posture de base dynamique lui permettant de se mouvoir rapidement. Les déplacements latéraux peuvent faire appel à différents types de pas (courus, chassés ou croisés); l'essentiel est que le joueur soit à l'aise, efficace et stable lors de la frappe.

Comme nous l'avons vu, le pas qui précède le coup doit toujours se faire sur la jambe dominante, avec une fente latérale de grande amplitude, que ce soit pour effectuer une frappe du côté dominant ou du côté revers. Pour ce faire, on dépose le talon du pied dominant au sol en s'assurant que le pied reste dans l'axe du déplacement afin d'éviter les blessures; puis on effectue un blocage avec la jambe dominante en la fléchissant. L'angle au niveau du genou devrait être de plus de 100 degrés. On peut ainsi freiner l'élan du corps vers le côté, atteindre le volant rapidement et être en équilibre au moment de frapper. Une fente de la jambe dominante permet d'augmenter l'amplitude des mouvements et évite des pas inutiles. Après l'impact, le joueur doit effectuer une poussée dynamique de la jambe dominante pour retourner au centre du terrain.

L'exécution d'une fente latérale requiert la participation de la jambe non dominante: on doit la fléchir légèrement pour permettre au pied de glisser de côté sur le sol au moment du blocage effectué par la jambe dominante. Ce mouvement, combiné à une fente latérale soutenue, permet d'accroître la stabilité lors de la frappe et favorise le repositionnement au centre du terrain. Pour contrer un smash dirigé sur le revers, il est possible d'effectuer un déplacement latéral qui se terminera par une fente latérale de la jambe non dominante. Cependant, lorsque le joueur dispose de suffisamment de temps, il peut effectuer le blocage de la jambe dominante.

Phase de départ

- Adopter une posture de base dynamique permettant de se déplacer rapidement dans toutes les directions (voir page 20).
- Effectuer un saut d'allègement pour favoriser une reprise d'appuis dynamiques.

Phase de trajet

- Utiliser une série de pas permettant de se déplacer rapidement (courus, chassés, croisés…).
- Éviter de faire varier la hauteur du bassin lors du déplacement et garder la tête haute.
- Orienter tout le corps en direction du déplacement à effectuer, y compris les épaules.

Phase d'arrêt

- Effectuer un blocage en réalisant une fente latérale avec la jambe dominante : déposer d'abord le talon au sol en pointant le pied dans l'axe du déplacement. Au moment d'exécuter la fente, garder le tronc droit.
- En exécutant la fente, fléchir légèrement la jambe non dominante et faire glisser le pied de côté afin d'accroître la stabilité et la fluidité du déplacement.

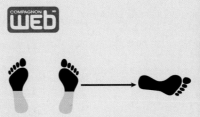

Déplacement latéral du côté dominant

Déplacement latéral du côté revers

23 LES DÉPLACEMENTS VERS L'ARRIÈRE PERMETTANT DE FRAPPER EN COUP DROIT

On pratique les déplacements vers l'arrière pour se diriger vers la zone la plus reculée du terrain. Comme dans le cas des autres déplacements, le joueur doit adopter une posture de base dynamique lui permettant de se mouvoir rapidement. Les déplacements vers l'arrière peuvent faire appel à différents types de pas (courus, chassés, croisés, à cloche-pied). L'essentiel est que le joueur soit à l'aise, efficace et stable lors de la frappe. Par contre, il est préférable d'éviter d'utiliser des pas courus à reculons.

Lors des déplacements vers le fond du terrain, il est important d'adopter une posture stable permettant d'effectuer une frappe en position d'équilibre maximal: ainsi, l'adversaire ne peut prévoir le coup qui sera effectué. Le joueur doit faire pivoter ses épaules et les placer perpendiculairement au filet afin de pouvoir effectuer un transfert de poids optimal.

Comme nous l'avons vu, c'est généralement la jambe dominante qui met fin au déplacement en effectuant un blocage: pour ce faire, la plante du pied dominant est déposée au sol (le pied parallèle à la ligne de fond) afin de freiner l'élan du corps vers l'arrière. Lors du blocage, la jambe dominante fléchit afin d'absorber l'énergie que le corps a accumulée. Par la suite, une extension dynamique (*dip*) de cette jambe initie la poussée du corps vers le haut et vers l'avant et, donc, permet le transfert de poids.

Phase de départ

- Adopter une posture de base dynamique permettant de se déplacer rapidement dans toutes les directions (voir page 20).
- Effectuer un saut d'allègement pour favoriser une reprise d'appuis dynamiques.

Phase de trajet

- Utiliser une série de pas permettant de se déplacer rapidement (chassés, croisés…).
- Éviter de faire varier la hauteur du bassin lors du déplacement, garder la tête haute et le tronc droit.
- Orienter tout le corps en direction du déplacement à effectuer, y compris les épaules, qui doivent être perpendiculaires au filet.

Phase d'arrêt

- Effectuer un blocage avec la jambe dominante: déposer d'abord la plante du pied au sol, parallèlement à la ligne de fond. Ensuite, fléchir la jambe dominante afin de freiner l'élan du corps vers l'arrière.
- Lors du blocage, laisser glisser le pied non dominant sur la pointe afin d'accroître la stabilité et la fluidité du déplacement, et incliner légèrement le tronc vers l'arrière.

COMPAGNON **WEB**

Le saut avec inversion des pieds

Les joueurs intermédiaires et avancés peuvent exécuter un saut avec inversion des pieds à la suite du blocage, au lieu de faire un transfert de poids vers l'avant.

Dans ce cas, il faut faire un saut vertical **1** pour effectuer le transfert de poids dans les airs en intervertissant les positions de la jambe dominante et de la jambe non dominante. Ensuite, on reprend appui au sol avec la jambe non dominante en arrière (le pied parallèle à la ligne de fond) et la jambe dominante en avant. **3** Ce saut permet de retrouver l'équilibre, d'exécuter des coups en suspension puissants et de masquer ses coups, car tout le corps participe au mouvement par une rotation dans les airs. De plus, la réception dynamique au sol suivie d'un pas de type chassé favorise le repositionnement au centre du terrain.

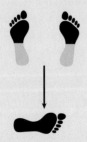

Déplacement vers l'arrière du côté dominant

24 LES DÉPLACEMENTS VERS L'ARRIÈRE DU CÔTÉ REVERS CONTRAIGNANT LE JOUEUR À FRAPPER DU REVERS

On pratique ces déplacements lorsqu'on est sous pression et qu'on est contraint de se diriger vers la zone la plus reculée du terrain pour effectuer un coup du revers. Tout comme dans le cas des autres déplacements, le joueur doit adopter une posture de base dynamique lui permettant de se mouvoir rapidement. Les déplacements vers l'arrière du côté revers s'effectuent souvent en utilisant des pas courus. Contrairement aux autres déplacements, le blocage de la jambe dominante a lieu après la frappe, ce qui signifie qu'au moment de faire contact avec le volant, le pied domi-

nant est toujours dans les airs. Le blocage s'effectue en déposant le pied dominant au sol (le pied pointant en direction du déplacement à effectuer) afin de freiner l'élan du corps vers l'arrière. Lors du blocage, la jambe dominante fléchit afin d'absorber l'énergie que le corps a accumulée. Par la suite, l'extension de cette jambe amorce la poussée du corps vers le haut et vers le filet afin de faciliter le retour en position centrale. Lors de l'exécution du dégagé ou de l'amorti du revers, il est primordial que l'épaule dominante soit dirigée vers le coin arrière du terrain au moment de l'impact.

Phase de départ

- Adopter une posture de base dynamique permettant de se déplacer rapidement dans toutes les directions (voir page 20).
- Effectuer un saut d'allègement pour favoriser une reprise d'appuis dynamiques.
- Exécuter un pivot sur le pied non dominant, le joueur se retrouvant dos au filet.

Phase de trajet

- Utiliser une série de pas courus permettant de se déplacer rapidement.
- Éviter de faire varier la hauteur du bassin lors du déplacement; garder la tête haute.
- Orienter tout le corps en direction du déplacement à effectuer (le joueur se retrouve dos au filet), l'épaule dominante dirigée vers le coin arrière du terrain.

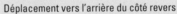
Déplacement vers l'arrière du côté revers

Phase d'arrêt

- Effectuer un blocage avec la jambe dominante : déposer d'abord la pointe du pied au sol en le plaçant dans l'axe du déplacement. Ensuite, fléchir la jambe dominante afin de freiner l'élan du corps vers l'arrière.
- Lors du blocage, laisser glisser le pied non dominant sur la pointe afin d'accroître la stabilité et la fluidité du déplacement et incliner légèrement le tronc vers l'avant.

Nous invitons ceux et celles qui désirent voir, comprendre et analyser plus en détail les déplacements de base à visiter le Compagnon web : ils y trouveront les différents déplacements en un, deux ou trois pas de même que certains enchaînements (courus, chassés, croisés, etc.). Le Compagnon web présente également d'autres types de déplacements pour les joueurs avancés.

CHAPITRE 4

LES TACTIQUES

Dans ce chapitre, nous abordons les tactiques qu'on peut adopter au badminton, en simple comme en double. Qu'entendons-nous par tactique ? Il s'agit de l'art de prendre de bonnes décisions et de mener une bataille en utilisant ses forces de manière efficace tout en exploitant les faiblesses de l'adversaire. Pour bien y arriver, vous devez analyser son jeu, coordonner vos actions et manœuvrer habilement afin de le mettre en difficulté. De plus, vous devez protéger vos points faibles et chercher à neutraliser votre opposant.

Pour améliorer votre efficacité tactique, vous devez développer les techniques des divers coups et déplacements. Vos limites tactiques sont déterminées par votre niveau de maîtrise technique. Étroitement liés, ces deux aspects doivent évoluer de concert. Maîtrisant un grand nombre de coups, sachant feinter et pouvant se déplacer très rapidement, les joueurs avancés possèdent un éventail tactique beaucoup plus grand que les débutants. C'est pourquoi ils doivent se fixer des objectifs tactiques en lien avec leur niveau d'habileté.

L'utilisation efficace des tactiques de base passe par la compréhension et l'application de principes fondamentaux. Dans les pages qui suivent, nous traitons de l'analyse de l'adversaire et des tactiques de base, ainsi que des positions et des types de service et de réception. Nous vous donnons aussi quelques conseils pour accroître votre efficacité.

LES TACTIQUES EN SIMPLE

L'analyse de l'adversaire

Le simple est ni plus ni moins qu'un duel entre deux adversaires. Les deux opposants doivent sans cesse s'attaquer mutuellement tout en défendant leur territoire respectif. Dans ce contexte, un joueur ne peut compter que sur lui-même. Il est donc important de bien évaluer son adversaire, d'en connaître les forces pour les vaincre, et les faiblesses pour les exploiter. Réciproquement, il doit jouer en exploitant ses propres forces et en protégeant ses faiblesses.

Avant même le début d'une partie, vous devez avoir pris connaissance de certaines caractéristiques de votre adversaire. Est-il gaucher ou droitier ? Se déplace-t-il rapidement et avec aisance ? Joue-t-il avec puissance ? avec finesse ? Possède-t-il un bon revers ? Est-il en bonne condition physique ? Où se place-t-il sur le terrain ? Les réponses à ces questions (et à d'autres) vous aideront à établir votre tactique de jeu.

Les tactiques de base

En simple, la surface de terrain à protéger est relativement grande. Pour bien couvrir tout l'espace de jeu, vous devez vous déplacer rapidement, dans toutes les directions. Pour ce faire, vous devez tenter de reprendre votre position au centre du terrain après chaque coup et adopter la posture de base (voir fiche 5, p. 20). Si vous n'avez pas le temps de le faire, immobilisez-vous avant que votre adversaire frappe, pour éviter qu'il vous surprenne à contre-pied.

Apprenez à jouer en envisageant le terrain adverse dans sa longueur plutôt que dans sa largeur. Il est important que vous sachiez exploiter tout cet espace de jeu, du filet au couloir de fond. Comme il est plus difficile de se déplacer vers l'arrière que dans toute autre direction, une telle tactique a pour effet de fatiguer l'adversaire et de le contraindre à exécuter des coups moins précis et moins menaçants. Si vous n'adoptez pas cette méthode, vous facilitez la tâche au joueur adverse en réduisant la zone qu'il a à protéger ; il peut alors sans difficulté la couvrir et anticiper le retour.

Si vous n'arrivez pas à diriger le volant jusqu'au couloir de fond, évitez toutefois de le renvoyer au centre du terrain par des dégagés ou des lobs trop courts. Privilégiez les trajectoires à basse altitude, près du filet et des lignes de côté. Obligez votre adversaire à se déplacer sur toute la largeur du terrain. S'il n'a pas besoin de se déplacer pour frapper, cela signifie que vous avez effectué un mauvais retour. Bref, vous devez éloigner l'adversaire du centre du terrain.

Comme nous l'avons vu au chapitre 2, la précision est beaucoup plus importante que la puissance. Apprenez ainsi à utiliser tout l'espace disponible en dirigeant le volant vers l'un des quatre coins du terrain. Visez les espaces libres en alternance afin de forcer continuellement votre opposant à changer de direction et à faire de longs déplacements. Cette tactique a pour but de l'épuiser, de l'obliger à effectuer de mauvais retours, de relever le volant, de lui faire prendre des risques et de lui faire prendre du retard sur le volant. Pour y arriver, il vous faudra exécuter une multitude de coups, varier le rythme du jeu et faire preuve de patience.

Pour varier le rythme du jeu, vous devez faire alterner les coups en puissance avec les coups plus lents, les trajectoires courtes avec les trajectoires longues, tendues, hautes et basses, ainsi que les directions parallèles avec les directions croisées. Si vous êtes de niveau intermédiaire ou avancé, vous devez aussi masquer vos coups et avoir recours à des feintes. Si vous êtes en difficulté, ralentissez le jeu en exécutant des retours hauts et profonds ; vous vous donnez ainsi du temps pour bien vous replacer. Si vous avez le contrôle de la situation, utilisez des coups tendus pour repousser votre adversaire ; il dispose ainsi de moins de temps pour se déplacer et est contraint à exécuter des coups alors qu'il est en déséquilibre ou en retard sur le volant.

Le revers du joueur adverse constitue généralement son point faible le plus important ; il ne faut donc pas hésiter à l'exploiter. Pour ce faire, forcez l'adversaire à frapper un coup de la zone avant, du côté dominant (amorti, coup au filet), afin de créer une ouverture au fond du terrain sur son revers.

Les services

Le choix du type de service est très important, car celui-ci a une incidence directe sur les coups qui suivent. Ce choix dépend des circonstances. Variez les services afin que l'adversaire ne puisse prédire celui pour lequel vous optez. Il est essentiel de prendre le temps d'observer et d'analyser l'attitude générale de l'adversaire avant de servir. Est-il alerte ? De quelle façon ses pieds sont-ils orientés ? Où est-il placé ? Quelles sont ses forces et ses faiblesses ?

En simple, privilégiez généralement le service long (figure 15, en vert) ; bien effectué, celui-ci est très difficile à évaluer par votre adversaire. La haute et longue trajectoire du volant ainsi que sa chute à la verticale font en sorte que le joueur adverse sait difficilement s'il est en jeu ou non. La lumière peut également éblouir votre opposant. Si vous optez pour un tel service, dirigez le volant vers la ligne médiane du couloir de fond, sans égard au côté où vous vous trouvez. Un service au centre limite les choix de réponse et l'efficacité de l'adversaire ; cela l'oblige à exécuter des coups dont la trajectoire est longue puisqu'il doit renvoyer le volant en évitant le serveur, placé au centre du terrain. Il sera contraint de frapper en direction de l'un des quatre coins de votre terrain.

Figure 15   Trois types de services en simple.

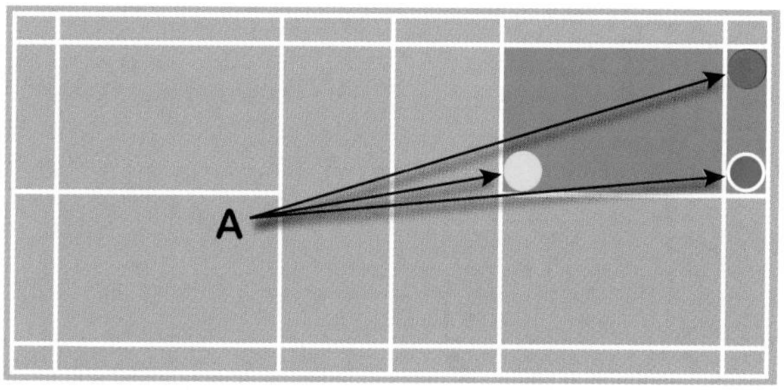

Vous pouvez aussi faire un service long en direction de l'une des lignes de côté (figure 15, en rouge), afin de créer une ouverture de l'autre côté du terrain. Évitez néanmoins cette option lors d'un match contre un joueur de haut niveau, car une telle situation permet au receveur d'exploiter la ligne en exécutant un coup offensif parallèle. Vous devez alors être attentif à un éventuel retour près de la ligne de côté, ce qui peut vous amener à négliger la possibilité d'un retour croisé.

Le jeu en simple autorise également le service court (figure 15, en jaune), mais on l'utilise moins souvent. Choisissez-le si vous souhaitez prendre à contre-pied un adversaire qui est en mauvaise position ou qui entreprend un déplacement précipité vers l'arrière, ou encore si vous voulez empêcher un joueur qui possède un smash très puissant de vous attaquer. Les serveurs qui ont un smash très efficace aiment l'utiliser, car il force le receveur à relever le volant.

On utilise à l'occasion un autre type de service, le service rapide, qui s'effectue de la même façon que le service long, mais qui a une trajectoire beaucoup plus basse. Il permet de surprendre l'adversaire et de changer le rythme de la partie. Évitez néanmoins d'y recourir contre un joueur rapide qui aime attaquer. L'exécution de ce service demande un bon contrôle et une grande précision, et les probabilités d'erreur sont beaucoup plus élevées.

La réception des services

La posture et la position en réception de service

Quand vous êtes receveur, placez-vous dans la bonne zone de service, derrière la ligne de service court, à une distance de 1 à 1,6 m (de 3 à 5 pieds). De plus, placez-vous de manière à favoriser les retours du côté dominant. On doit éviter de frapper du revers. Les coups du revers sont plus difficiles à exécuter et sont généralement moins menaçants, en raison d'une perte de précision et de puissance par rapport au coup droit. Pour protéger votre revers si vous êtes droitier et que vous recevez de la zone droite, placez-vous près de la ligne médiane ; si vous êtes gaucher, placez-vous à une distance de 1 à 1,6 m (de 3 à 5 pieds) de la ligne de côté (figure 16). Si vous êtes droitier et que vous recevez de la zone gauche, placez-vous à une distance de 1 à 1,6 m (de 3 à 5 pieds) de la ligne de côté ; si vous êtes gaucher, placez-vous

Figure 16   Position en réception de service.

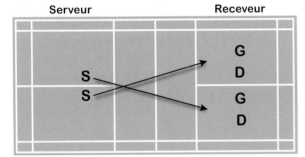

Serveur   Receveur

S S   G D   G D

FICHE 25   LA POSTURE ET LA POSITION EN RÉCEPTION DE SERVICE

- Se placer de manière à protéger son revers (voir explication ci-dessus).
- Se placer à un peu plus de 1 m (4 pieds) derrière la ligne de service court.
- Répartir son poids également sur les deux jambes.
- Orienter le pied non dominant en direction de l'adversaire.
- Placer le pied dominant en arrière, parallèlement à la ligne de fond.
- Orienter le tronc face au serveur (le tronc est presque droit).
- Placer la raquette devant soi, le bras fléchi, la tête de la raquette à la hauteur de la tête du joueur qui fait la réception.
- Placer la main libre à l'avant et à la hauteur des épaules.

près de la ligne médiane. Votre position est fonction de votre taille, de votre vitesse de déplacement et, surtout, de votre côté dominant (droitier ou gaucher).

Les retours de service

Le retour de service compte parmi les coups les plus importants au badminton. Bien effectué, il permet de prendre l'avantage sur l'adversaire et de contrôler l'échange. Vous devez frapper le volant alors qu'il est au plus haut, et le faire le plus rapidement possible (évitez de le laisser descendre inutilement). L'objectif d'un bon retour de service est de prendre l'adversaire par surprise, de diminuer son temps de réaction, de le forcer à relever le volant et de limiter les retours possibles. Vous devez attaquer votre opposant en vue de le déséquilibrer, en tirant parti de ses faiblesses, sans quoi c'est lui qui reprendra l'offensive. Pour ce faire, vous devez obliger l'adversaire à abandonner sa position centrale. Vous devez choisir un retour de service en tenant compte des forces et des faiblesses décelées chez l'adversaire.

Toutefois, le service long étant plus fréquent en simple, les deux types de retours les plus utilisés sont l'amorti et le dégagé offensif. La figure 17 présente les diverses réponses possibles à un service long, de la moins risquée (en vert) à la plus risquée (en rouge). Si vous êtes débutant, nous vous conseillons l'amorti près d'une ligne de côté (en vert), le dégagé offensif (en jaune), de préférence sur le revers de l'adversaire, le dégagé défensif (aussi en jaune), à n'utiliser que lors d'un retard ou d'un déséquilibre, et le smash près d'une ligne de côté (en rouge). Si vous êtes un joueur avancé, nous vous recommandons d'ajouter l'amorti coupé, le smash coupé, l'amorti brossé et le smash brossé à votre arsenal. Vous en trouverez une description sur le Compagnon web de l'ouvrage. Vous devez diriger ces coups vers une ligne de côté.

Figure 17 Réponses à un service long.

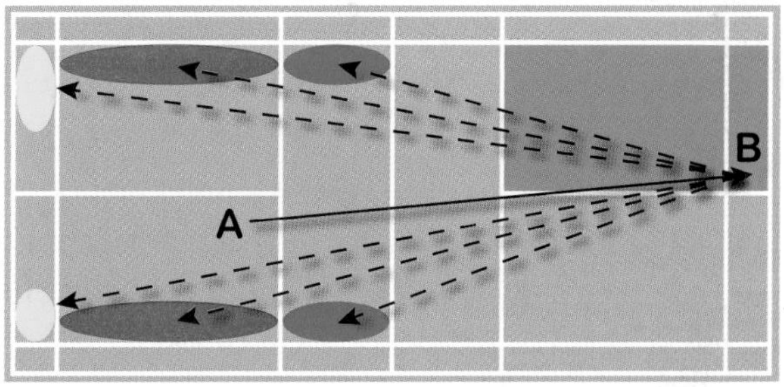

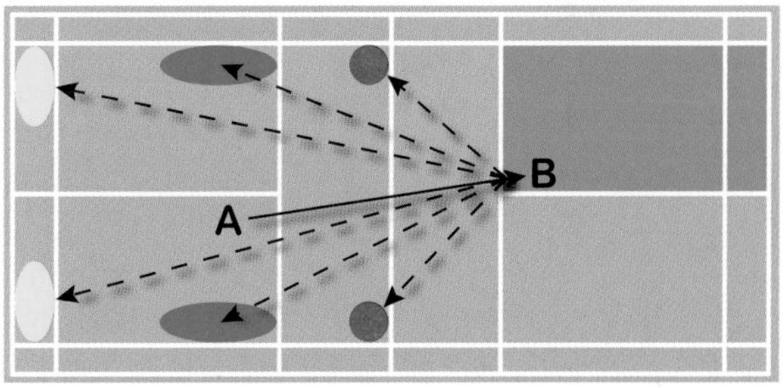

La figure 18 présente les diverses réponses possibles à un service court, de la moins risquée (en vert) à la plus risquée (en rouge). Si vous êtes débutant, nous vous conseillons le **placement latéral à mi-terrain**, près d'une ligne de côté (en vert), le drive dirigé dans le couloir de fond (en jaune), de préférence sur l'adversaire ou sur son revers, et le lob offensif ou défensif dirigé dans le couloir de fond (en jaune). Si vous êtes un joueur avancé, nous vous recommandons d'ajouter le coup au filet près d'une ligne de côté (en rouge) à votre panoplie.

Figure 18 Réponses à un service court.

Quelques conseils pour accroître son efficacité en simple

▸ Atteignez le volant le plus rapidement possible. Vous aurez ainsi un plus grand choix de coups et d'angles d'attaque, vous serez plus stable au moment de procéder et vous serez en mesure de prendre l'adversaire de vitesse.

▸ Essayez de frapper du côté dominant le plus souvent possible. En plus d'être relativement facile à maîtriser, ce côté offre un plus grand choix de coups que le côté revers, et on peut les exécuter avec plus de puissance et de précision.

▸ Évitez les retours vers le centre du terrain adverse.

▸ Ne relevez pas le volant inutilement. Utilisez des trajectoires tendues : elles rendent la riposte difficile et réduisent le temps de réaction de l'adversaire. Cela dit, une frappe en hauteur vous permettra, si nécessaire, de reprendre votre équilibre et votre position au centre du terrain ; vous aurez ainsi le temps de réagir au prochain coup de l'adversaire.

▸ Soyez patient ; n'essayez pas de conclure un échange trop rapidement. Restez concentré et gardez votre calme. Ne baissez jamais les bras.

▸ Soyez conscient de votre espace de jeu afin de bien juger les trajectoires du volant (en jeu ou à l'extérieur).

▸ Apprenez à utiliser le filet. En général, c'est le joueur qui se sert le mieux du filet qui gagne. Les coups dirigés près du filet sont difficiles à attaquer. De plus, ils forcent l'adversaire à relever le volant et, du coup, vous permettent de poursuivre l'attaque.

▸ Adoptez une attitude corporelle combative. L'adversaire doit craindre une attaque en puissance de votre part. Donnez-lui le moins d'indices possibles sur le coup que vous comptez faire. Feintez et masquez vos coups fréquemment.

▸ Si une tactique ne fonctionne pas, modifiez-la. Ne vous entêtez pas à utiliser une tactique qui ne fonctionne pas.

▸ Évitez de trop smasher, c'est épuisant. Le smash est certes une arme très utile, mais en simple, vous devriez y avoir recours seulement lorsque vous êtes en équilibre et que vous désirez conclure l'échange. Les coups de base que vous devez d'abord maîtriser sont le service long, le dégagé, l'amorti, le lob et le coup au filet.

Pour aller plus loin...

L'autoprotection

L'autoprotection est la capacité de se protéger et de limiter la menace de l'adversaire. Si vous en connaissez les principes et que vous êtes en mesure de bien les appliquer, vous évitez ainsi de vous mettre dans l'embarras. Avant d'effectuer un coup, vous devez en évaluer les conséquences possibles, pour vous comme pour l'adversaire. Rappelez-vous que vous devez être en mesure de bien couvrir tout votre terrain après avoir frappé le volant. Vous devez faire en sorte d'avoir toujours deux choix de jeux, voire plus, tout en limitant au maximum les possibilités de votre adversaire. Vous devez prendre avantage sur votre opposant, ou à tout le moins effectuer un retour sécuritaire afin de ne pas devenir vulnérable. La clé de l'autoprotection, c'est le bon jugement.

Pour bien y arriver, il vous faut tout d'abord protéger votre revers. De plus, exécutez de préférence les coups que vous maîtrisez le mieux, et évitez les mauvais retours. Ne prenez pas de risques inutiles, mais sachez prendre des risques calculés. Évaluez bien votre adversaire ; jouez sur ses faiblesses et cherchez à limiter ses forces. Optez pour le bon coup au bon moment. Cherchez toujours à comprendre les conséquences d'un choix par rapport à celles d'un autre selon le contexte. Enfin, ne renvoyez pas le volant vers le haut inutilement.

Les feintes

Une **feinte** consiste en la simulation d'un coup en vue d'en exécuter un autre. Si vous êtes un joueur intermédiaire ou avancé, vous pouvez faire des feintes afin d'induire votre adversaire en erreur et de diminuer son temps de réaction. Si vous atteignez rapidement le volant et que vous le frappez alors qu'il est au plus haut, il est beaucoup plus facile de feinter. Pour ce faire, vous devez modifier la vitesse de votre mouvement en le ralentissant ou en l'accélérant. Vous pouvez également changer le plan de votre tête de raquette au moment du contact avec le volant.

Vous pouvez, par exemple, effectuer le mouvement énergique annonçant un smash, mais exécuter un amorti. Vous pouvez également frapper le volant alors que la tête de la raquette est en angle par rapport au filet, ce qui permet de réduire la force transmise au volant (coups coupés et brossés comme les amortis, les smashs), déplacer la raquette dans une direction en envoyant le volant dans l'autre (coups brossés) ou orienter votre corps en envoyant le volant dans l'autre (coup au filet croisé, dégagé au-dessus de la tête en décroisé). Vous trouverez, sur le Compagnon web de l'ouvrage, une description des coups coupés et brossés.

LES TACTIQUES EN DOUBLE

Nous présentons ici les tactiques pour le double masculin et le double féminin. Si vous désirez connaître les particularités des tactiques en double mixte, rendez-vous sur le Compagnon web de l'ouvrage.

L'analyse de l'adversaire

En double, les partenaires doivent prendre le temps de bien évaluer leurs adversaires, de connaître les forces de ces derniers pour les vaincre, et leurs faiblesses pour les exploiter. De plus, ils doivent jouer en exploitant leurs propres forces et en protégeant leurs faiblesses. Avant même de commencer une partie, vous devez avoir pris connaissance de certaines caractéristiques de vos adversaires. Sont-ils gauchers ou droitiers ? Se déplacent-ils rapidement et avec aisance ? Jouent-ils avec puissance ? avec finesse ? Possèdent-ils un bon revers ? Quel est le joueur le plus faible ou le moins menaçant ? Les réponses à ces questions (et à d'autres) vous aideront à établir votre tactique de jeu.

Les tactiques de base

Le double est une discipline beaucoup plus rapide que le simple, notamment parce que la portion de terrain que chaque joueur doit couvrir est plus petite. Cela a pour conséquence de laisser très peu de temps aux joueurs pour réagir. De plus, l'utilisation des coups n'est pas la même qu'en simple. Pour éviter de vous mettre dans l'embarras, vous devez maintenir le volant le plus bas possible et lui donner une trajectoire descendante. Le double requiert l'utilisation de services courts, de smashs, de drives et d'attaques au filet. Une bonne équipe de double doit développer plusieurs qualités essentielles : vitesse, puissance, finesse technique et stratégique ainsi qu'une excellente communication. Qu'ils soient en position offensive ou en position défensive, les coéquipiers qui visent à imposer leur stratégie, à contrôler la partie, doivent avant tout miser sur un bon travail d'équipe. Tour à tour, les joueurs sont tantôt en position d'attaque, tantôt en position défensive.

Dès que l'occasion se présente, faites tout votre possible pour prendre l'offensive, que ce soit en frappant un coup explosif, comme un smash ou un drive, ou en faisant un placement, comme un amorti, un coup au filet, un lob offensif ou un dégagé offensif. Les objectifs de base sont de mettre les adversaires sous pression, de leur faire commettre des erreurs, de les obliger à relever le volant, de leur faire prendre des risques inutiles et, ultimement, de les amener à exécuter de mauvais retours.

Variez vos attaques en utilisant une multitude de coups et en changeant le rythme du jeu. Pour ce faire, vous devez faire alterner les coups en puissance avec les coups plus lents, et les trajectoires courtes avec les trajectoires longues, tendues, hautes et basses. Vous pouvez aussi diriger le volant vers l'adversaire le plus faible, smasher sur un opposant en mouvement ou attaquer au centre, entre les deux joueurs.

Donnez à vos retours et à vos coups défensifs la trajectoire la plus basse et la plus horizontale possible, et dirigez-les vers les lignes de côté. Cela permet d'éviter que l'adversaire qui se trouve au filet n'intercepte le volant et cela oblige le joueur arrière à se déplacer.

Figure 19 Position des joueurs au service.

Les services

La position des joueurs au service

Si vous êtes le serveur, placez-vous tout près de la ligne de service court et de la ligne médiane (figure 19), afin que votre service ait la trajectoire la plus courte possible. Votre partenaire doit se positionner derrière vous, à environ une longueur de raquette, un pied de chaque côté de la ligne médiane, les pieds parallèles et dans la posture de base, de manière à retourner les coups à **mi-terrain** et ceux dirigés vers l'arrière du terrain.

Les types de services

En double, on utilise surtout les services courts, en particulier le service court asiatique (figure 20, p. 57). Bien effectué, ce dernier rend la riposte très difficile, car il passe tout près du filet. Il contraint souvent l'équipe adverse à relever le volant et donne ainsi l'offensive à l'équipe qui sert. Si vous effectuez un service court, vous êtes responsable de la protection de toute la zone avant, alors que votre partenaire veille sur la zone arrière. Vous vous trouvez alors tous deux placés en position d'attaque, l'un derrière l'autre. Nous vous recommandons de servir près de la ligne médiane et de la ligne de service court afin de vous permettre d'intercepter plus facilement un éventuel retour au centre de l'adversaire. Cela force ce dernier à effectuer un retour croisé vers l'une des lignes de côté, comme vous le verrez plus loin.

Vous pouvez, à l'occasion, effectuer un autre type de service : le service long tendu (figure 21). Il permet de surprendre votre adversaire, de le prendre à contre-pied, surtout si ce dernier est mal positionné ou s'il entreprend un déplacement précipité vers l'avant. Cette mise en jeu change aussi le rythme de la partie. Cependant, un tel service est très difficile à exécuter et fait augmenter les probabilités d'erreur. Après l'avoir exécuté, vous devez reculer et vous placer en position défensive, côte à côte avec votre partenaire, car vous risquez de vous faire attaquer.

La réception des services

La posture et la position des joueurs en réception de service

En double, la position du receveur est essentiellement la même qu'en simple, à une nuance près : le receveur doit se placer beaucoup plus près de la ligne de service court (figure 22), parce qu'il a une aire moins grande à protéger et qu'il souhaite mettre le serveur sous pression. Toutefois, le joueur doit tenir compte de sa capacité à couvrir la partie arrière du terrain au cas où l'adversaire ferait un service long. Conséquemment, plus le receveur est rapide et possède de bonnes habiletés techniques, plus il peut se permettre de se placer près de la ligne de service court. Le partenaire du receveur doit, quant à lui, se placer près de la ligne médiane et au centre du terrain. Il doit adopter la posture de base.

Les retours de service

En double, les retours de service sont d'une importance capitale. Effectuez-les autant que possible du côté dominant, en coup droit. De plus, il est très important que vous frappiez le volant le plus rapidement possible, alors qu'il est au plus haut, afin d'accroître vos

Figure 20   Service court.

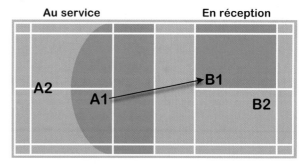

Figure 21   Service long tendu.

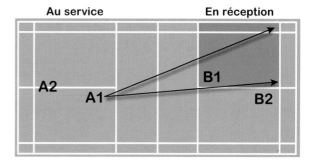

Figure 22   Posture et position des joueurs en réception de service.

angles d'attaque et les options dont vous disposez en ce qui a trait aux coups. Un retour réussi vous donne le contrôle de l'échange en surprenant l'équipe adverse, en diminuant son temps de réaction, en la forçant à relever le volant et en diminuant ses angles de retour. Votre objectif doit être d'attaquer vos opposants en les déséquilibrant et en exploitant leurs faiblesses, afin d'éviter de leur laisser l'offensive.

Figure 23   Réponses à un service court.

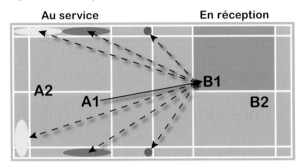

La figure 23 illustre les réponses possibles à un service court en double, de la moins risquée (en vert) à la plus risquée (en rouge). Si vous êtes débutant, nous vous conseillons le placement latéral à mi-terrain entre les deux joueurs (en vert), le drive vers le couloir de fond (en jaune), de préférence sur l'un des joueurs ou sur le revers du joueur arrière, le lob offensif ou défensif vers le couloir de fond (en jaune), le coup au filet près d'une ligne de côté (en rouge) et l'attaque au filet, généralement dirigée vers la zone centrale.

Les figures 24 et 25 illustrent les diverses réponses possibles à un service long en double, de la moins risquée (en vert) à la plus risquée (en rouge). Vous remarquerez que les réponses conseillées ne sont pas tout à fait les mêmes selon que le service est dirigé vers une ligne de côté ou vers le centre. En double, limitez les coups croisés, car ceux-ci sont plus faciles à intercepter. Si vous êtes débutant, nous vous conseillons le dégagé offensif (en vert), de préférence sur le revers de l'adversaire, le smash au centre ou en direction de la ligne de côté la plus proche (en jaune), le drive au centre ou en parallèle (en jaune), l'amorti près d'une ligne de côté ou au centre (en rouge) et le dégagé défensif, à utiliser seulement si vous êtes en retard ou en déséquilibre (en vert). Si vous êtes un joueur avancé, vous pouvez ajouter l'amorti coupé, le smash coupé, l'amorti brossé et le smash brossé à votre arsenal. Vous en trouverez la description sur le Compagnon web de l'ouvrage.

Figure 24   Réponses à un service long envoyé près d'une ligne de côté.

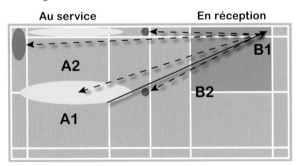

Figure 25   Réponses à un service long envoyé au centre.

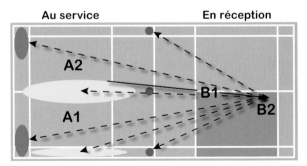

La défense

Votre coéquipier et vous êtes en situation défensive lorsque vous êtes contraints d'effectuer des retours en hauteur qui peuvent être attaqués en puissance par vos adversaires. Dans ces circonstances, vous devez vous placer côte à côte (figure 26) pour bien protéger votre territoire. Ainsi positionnés, vous avez tous deux le devoir de défendre votre **demi-terrain (droit ou gauche)** respectif. Vous pouvez aussi adapter votre position défensive à celle de l'équipe adverse en vous plaçant en triangle inversé (figure 27). Pour ce faire, déterminez vos positions en rapport avec l'endroit où vous avez envoyé le volant. Si c'était vers la gauche, le joueur de gauche doit reculer légèrement par rapport à son partenaire afin d'être à la même distance du volant que celui-ci, et inversement.

Une équipe en défense doit toujours avoir pour objectif de rééquilibrer la pression et de reprendre l'offensive. Si vous êtes en défense, vous devez diriger vos retours vers les lignes de côté, afin d'éviter le joueur adverse qui se trouve au filet (figure 28). Dirigez aussi le volant sur le revers du joueur arrière. Effectuez des retours croisés afin d'obliger le joueur arrière à se déplacer. Dirigez vos retours vers les **zones de divorce**, entre les deux joueurs. Amenez l'adversaire le plus puissant au filet et jouez sur le joueur le plus faible. Forcez les adversaires à se replacer côte à côte.

Pour ce qui est des coups, évitez les coups défensifs en hauteur. Donnez à vos retours une trajectoire horizontale ou descendante. Effectuez autant que possible des retours de smash horizontaux et bas. Si vous effectuez un retour au filet, suivez votre coup en allant protéger l'avant du terrain. Si vous effectuez des retours en hauteur et en profondeur, forcez le joueur arrière à se déplacer latéralement pour l'épuiser et pour diminuer l'efficacité de ses ripostes.

Lorsque le volant se dirige entre les deux partenaires, c'est généralement au joueur qui frappe de son côté non dominant de le prendre en charge. Il est en effet plus facile d'exécuter des retours de smash en revers. Cependant, si l'équipe est composée d'un droitier et d'un gaucher, il faut mettre en place un autre système, par exemple convenir que cette tâche revient au joueur de gauche.

Figure 26   Position des joueurs en défense.

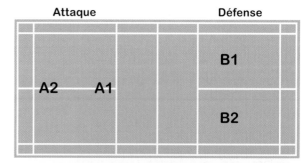

Figure 27   Position du triangle inversé.

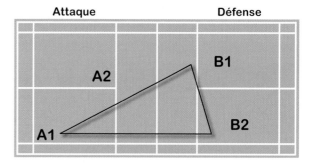

Figure 28   Différents retours défensifs.

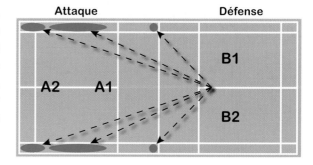

L'attaque

Lorsque votre équipe est en situation d'attaque, c'est-à-dire lorsque l'équipe adverse est incapable d'exécuter des frappes puissantes à la trajectoire descendante, vous devez vous placer en position offensive, l'un derrière l'autre (figure 29). Cela contribuera à mettre l'équipe adverse sous pression. Pour ce faire, l'un d'entre vous doit se placer en avant, pour couvrir la zone située près du filet, à environ 30 à 60 cm (de 1 à 2 pieds) derrière la ligne de service court. L'autre doit se placer en arrière, pour couvrir le fond du terrain. Le joueur avant doit tenir sa raquette à la hauteur de la tête, à l'aide de la prise raccourcie (voir fiche 3, p. 19), qui offre une grande précision et diminue les risques de toucher au filet. Le joueur doit également être capable de modifier sa prise de raquette lorsque le volant est de son côté revers.

Figure 29 Position des joueurs en attaque.

Le joueur avant doit être alerte et avoir de bons réflexes ; son but est d'intercepter les volants et de mettre fin aux échanges à l'aide de drives, d'attaques au filet, de coups au filet et de lobs offensifs. Il doit éviter de se placer trop près du filet, car cela nuirait grandement à son efficacité.

Le joueur arrière, quant à lui, doit être puissant ; son objectif est de poursuivre l'attaque afin de mettre l'équipe adverse sous pression et de la contraindre à de mauvais retours. Pour ce faire, il doit selon les circonstances opter pour un smash, un drive, un amorti, un demi-smash ou un dégagé offensif.

En attaque, votre équipe doit bien coordonner ses déplacements afin d'éviter les déséquilibres et de ne pas donner d'ouverture aux adversaires. Vous devez toujours interagir avec votre partenaire. Si vous vous déplacez, il doit adapter sa position afin de vous aider à bien protéger toute votre aire de jeu. Imaginez que vous êtes tous deux reliés par une corde invisible et qu'il y a une poulie sur la jonction de la ligne médiane et de la ligne de service. Si l'un de vous recule, l'autre doit avancer (figure 30).

Figure 30 Variation coordonnée de la position des joueurs (B1 et B2).

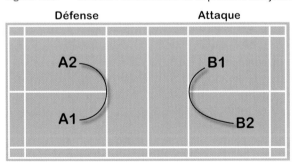

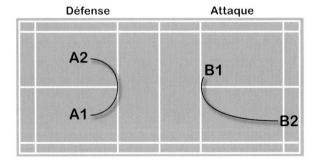

Il existe des situations où le joueur avant doit reculer légèrement, même si son équipe est en train d'attaquer, afin de protéger une partie du terrain qui est vulnérable (figure 31). Si votre équipe lance une attaque croisée, que vous êtes en avant et que votre partenaire subit beaucoup de pression en arrière, vous devez reculer afin de lui offrir votre soutien. Évitez cependant autant que possible les attaques croisées, car celles-ci sont très risquées !

Si votre partenaire et vous êtes en attaque, vous pouvez recourir à plusieurs stratégies pour être efficaces. Tout d'abord, attaquez au centre afin de susciter un malentendu entre les adversaires et de faciliter les interceptions par votre partenaire au filet, tout en évitant d'envoyer le volant à l'extérieur (figure 32). En attaquant au centre du terrain adverse, vous rendez la vie encore plus difficile à vos adversaires : ils auront du mal à effectuer un retour hors de la portée de votre partenaire, qui est dans la zone avant. Jouez sur le joueur le plus faible. Smashez sur un joueur en mouvement. Variez le rythme du jeu afin de surprendre l'équipe adverse. Enfin, exploitez le revers des adversaires en ayant recours à des drives, à des lobs et à des dégagés offensifs.

Smasher plusieurs fois de suite demande beaucoup d'énergie. En attaque, lorsque l'échange dure et que le joueur arrière a exécuté plusieurs smashs, nous recommandons aux joueurs de **permuter** leurs positions (figure 33). Le joueur fatigué peut récupérer et l'équipe peut poursuivre son attaque. Pour faire cette permutation, il faut d'abord que le joueur avant recule du côté opposé à celui où se trouve son partenaire, afin d'être en mesure de répondre à tout retour allant dans cette direction. Ensuite, le joueur qui était au fond du terrain doit s'avancer pour aller défendre la zone avant.

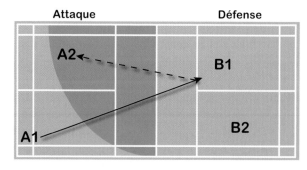

Figure 31   Position des joueurs en attaque croisée (A1 et A2).

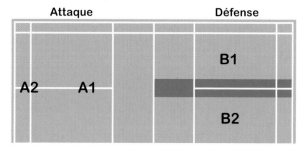

Figure 32   Attaque au centre.

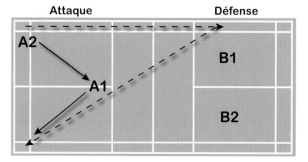

Figure 33   Permutation des joueurs en double.

Quelques conseils pour accroître son efficacité en double

- ▶ Soyez le plus précis possible lorsque vous effectuez des services, c'est capital. Un mauvais service donne immédiatement l'avantage à l'équipe adverse.

- ▶ Faites très attention à vos retours de service. Les retours de service constituent les coups les plus importants en double. Bien exécutés, ils permettent de prendre le contrôle de l'échange.

▶ Jouez de façon combative et attaquez dès que l'occasion se présente. Évitez cependant de prendre l'offensive à n'importe quel moment, car vous augmentez alors vos risques de commettre des erreurs.

▶ Soyez conscient des actions et des réactions de votre partenaire, et anticipez-les. Une excellente communication vous aidera à bouger en harmonie avec votre partenaire afin d'assurer la meilleure défense de votre terrain.

▶ Soyez conscient des actions et des réactions de vos adversaires, et anticipez-les.

▶ Si vous êtes un joueur avancé, pensez aux conséquences possibles des différents coups selon le contexte dans lequel ils sont exécutés.

▶ Soyez conscient de votre espace de jeu afin de bien juger la trajectoire des volants.

▶ En toute circonstance, soyez prêt à attaquer et à vous défendre.

Cette section a pour but de vous aider à mieux comprendre et à intégrer les concepts de base du badminton, c'est-à-dire les règlements, la terminologie, les coups, les déplacements et les tactiques. Pour ce faire, nous vous invitons à répondre à des questions se rapportant aux quatre premiers chapitres du livre. Cette révision est un excellent outil de formation, car elle met vos connaissances à l'épreuve et vous permet de vous préparer à un examen théorique. Vous pouvez bien entendu répondre à ces questions en vous aidant du livre, mais nous vous suggérons plutôt de n'utiliser ce dernier que pour vous corriger. De cette façon, vous serez en mesure de déceler les éléments que vous maîtrisez moins bien.

Sur le Compagnon web, vous trouverez aussi un jeu-questionnaire interactif permettant de faire l'apprentissage des règlements et de la terminologie utilisés au badminton. En fournissant une rétroaction immédiate aux réponses, appuyée par des explications, cet outil favorise la compréhension de la matière.

Utilisez la banque de mots ci-dessous afin de répondre aux questions 1 à 20. Certaines d'entre elles requièrent des réponses précises ; utilisez les termes entre parenthèses pour vous aider à les compléter.

Service long (simple)	*Coup au filet (coup droit, du revers)*
Service court	*Lob (défensif, offensif, du coup droit, du revers)*
Service court asiatique	*Drive (du coup droit, du revers)*
Service long tendu (simple, double)	*Attaque au filet*
Retour de service (simple, double)	*Dégagé du revers (défensif, offensif)*
Dégagé (défensif, offensif)	*Amorti du revers*
Amorti	*Retour de smash*
Smash	

1. Nommez trois coups défensifs qui permettent au joueur de reprendre sa position centrale.

_____

_____

_____

2. Quel est le coup le plus puissant au badminton?

_____

3. Nommez trois coups joués en hauteur qui, techniquement, se ressemblent beaucoup.

_____

_____

_____

4. Lors de quelle mise en jeu la trajectoire du volant doit-elle être très longue et très haute (près du plafond)?

_____

5. Quel service est le plus utilisé en double?

_____

6. Quel coup droit, exécuté de l'arrière du terrain pour gagner du temps, donne au volant une trajectoire haute et longue, avec pour cible le couloir de fond?

_____

7. Quel coup droit exécute-t-on de l'arrière du terrain pour surprendre l'adversaire, le repousser et lui enlever du temps de réaction?

_____

8. En double, quels sont les retours qu'on effectue presque exclusivement du côté dominant?

_____

9. Quels coups utilise-t-on en réponse à un amorti ou à un coup au filet? (Vous ne devez pas spécifier s'il s'agit de coups droits ou de coups du revers.)

_____   _____

10. Nommez deux services en profondeur obligeant l'adversaire à reculer.

_____   _____

11. Lors de quel coup, dont la trajectoire est très courte, le volant doit-il passer juste au-dessus du filet et retomber le plus près possible de celui-ci?

_____

12. Nommez deux coups, dont la trajectoire est en piqué, qu'on exécute pour mettre fin à un échange.

_____   _____

13. Nommez deux coups demandant l'exécution préalable d'une fente avant. (Vous ne devez pas spécifier s'il s'agit de coups droits ou de coups du revers.)

_____   _____

14. Nommez les coups, exécutés de l'arrière du terrain, lors desquels on ralentit le mouvement de la raquette juste avant de frapper le volant.

_____   _____

15. Nommez deux services qui, lorsqu'ils sont bien exécutés, limitent les possibilités de réponse de l'adversaire, ce dernier étant contraint de renvoyer le volant vers le haut.

_____   _____

16. Quel est le coup qui consiste à frapper le volant par en dessous pour l'envoyer dans la zone arrière de l'adversaire ?

_____

17. Quel coup exécute-t-on de la partie avant en bondissant sur le volant pour le rabattre d'un geste court et vif ?

_____

18. Quel coup offensif dirigé vers la zone arrière du terrain adverse donne au volant une trajectoire horizontale ou légèrement descendante le faisant passer près du filet ?

_____

19. Quel coup défensif est utilisé pour retourner des retours puissants dont la trajectoire est descendante ?

_____

20. Quel est le coup le plus difficile à exécuter au badminton, constituant la faiblesse majeure de la plupart des joueurs ?

_____

Complétez les descriptions techniques 21 à 33 qui suivent.

21. Posture de base
  ▶ La raquette doit être tenue à la hauteur de l'_____.
  ▶ Les pieds sont _____ à la largeur des épaules ou un peu plus.
  ▶ Le poids du corps repose sur la _____ des pieds.
  ▶ Les épaules sont _____ au filet.
  ▶ Les genoux sont légèrement _____.

22. Service long et service court ordinaire

▶ Le pied _____ pointe en _____ de l'envoi.

▶ Les deux pieds forment un angle d'environ _____ degrés.

▶ Le volant est tenu à la hauteur de la _____.

▶ Au départ, la _____ est amenée vers l'arrière, l'avant-bras en _____ (service court).

▶ Le bras dominant effectue un mouvement de _____ commençant derrière le corps.

▶ L'avant-bras effectue une _____, juste avant de frapper le volant.

▶ Le volant est frappé légèrement au-dessus de la hauteur des _____ (service long).

▶ Le mouvement se termine avec la raquette au-dessus de l'_____ non dominante (service long seulement).

23. Service court asiatique

▶ Le pied dominant est un peu plus _____ que l'autre pied.

▶ Le coude dominant est relevé jusqu'à la hauteur de l'_____.

▶ Le volant est tenu à la hauteur de la _____.

▶ On fait une légère extension du _____ dominant et une _____ de l'avant-bras.

▶ Le volant est frappé à la _____ de la taille.

24. Dégagés défensif et offensif

▶ À la fin du déplacement, le pied dominant est en arrière, _____ à la ligne de fond.

▶ Avant d'amorcer le mouvement de frappe, les épaules et les hanches sont _____ au filet.

▶ La jambe dominante effectue une _____ afin d'amorcer un transfert de poids vers le haut.

▶ Juste avant l'impact, on fait une _____ du bras dominant et une _____ de l'avant-bras.

▶ Le contact avec le volant se fait _____ de l'épaule dominante légèrement à l'extérieur de celle-ci.

▶ La tête de la raquette termine sa course à la _____ opposée.

25. Amorti

Les éléments techniques sont les mêmes que pour le dégagé, à l'exception de ceux-ci :

▶ Au moment du contact avec le volant, la raquette est légèrement _____ vers l'avant.

▶ On _____ le mouvement du bras dominant avant la frappe.

26. Smash

▶ Tout le corps participe au mouvement en procédant à un transfert de _____ marqué.

▶ Les épaules effectuent une _____ vive.

▶ L'extension du bras dominant et la _____ de l'avant-bras sont d'une importance capitale.

▶ La raquette est _____ vers l'avant de façon marquée au moment du contact avec le volant.

▶ La tête de la raquette termine sa course à la _____ opposée.

27. Drive du coup droit et du revers

▶ Le déplacement à effectuer avant de frapper se termine par une fente _____ ou _____.

▶ Le bras effectue une légère _____.

▶ Lors d'un drive du coup droit, l'avant-bras effectue une _____.

▶ Lors d'un drive du revers, l'avant-bras effectue une _____.

28. L'attaque au filet

▶ La raquette est tenue à la hauteur de la _____, devant soi.

▶ Le joueur doit _____ vers le volant.

▶ En coup droit, le bras dominant effectue une _____ extension, et l'avant-bras, une _____.

29. Coup au filet du coup droit et du revers

▶ Avant de frapper le volant, le joueur doit effectuer une _____ avant sur sa jambe dominante.

▶ La raquette est tenue à la hauteur de la _____.

▶ Le bras dominant effectue une légère _____ dans un mouvement horizontal.

▶ Lors du contact avec le volant, la face de la raquette est _____ vers le sol.

▶ La raquette termine sa course près du _____ et parallèle au sol.

30. Lob du coup droit et lob du revers

▶ Le bras dominant effectue un mouvement de _____ vers l'avant et de bas en haut.

▶ Lors d'un lob du coup droit, l'avant-bras effectue une _____.

▶ Lors d'un lob du revers, l'avant-bras effectue une _____.

▶ Lors d'un lob du coup droit, la course de la raquette se termine du côté de l'_____ non dominante.

▶ Lors d'un lob du revers, la course de la raquette se termine _____ soi.

31. Retour de smash du coup droit et du revers

▶ Au départ, on tient sa raquette _____ le corps à la hauteur de l'abdomen.

▶ La phase _____ est quasiment inexistante.

▶ Amener le corps et la raquette du _____ du coup à jouer.

▶ En revers, l'avant-bras dominant effectue une _____ très vive lors du retour haut et profond.

▶ Le volant est joué le plus _____ possible, _____ soi.

32. Position en retour de service

▶ La position du joueur varie en fonction de sa _____, de sa vitesse et, surtout, de son côté _____ (droit ou gauche).

▶ Le pied non dominant pointe en direction de l'_____.

▶ Le pied _____ est en arrière, parallèle à la ligne de fond.

▶ La raquette est placée devant soi, la tête de la raquette _____ de la tête du joueur.

33. Déplacements

▶ Habituellement, les déplacements doivent se _____ par un blocage de la jambe _____.

▶ Après chaque _____, le joueur doit tenter de revenir en position _____.

▶ Les déplacements vers l'avant se terminent par une _____ avant.

▶ Les déplacements vers l'arrière s'effectuent habituellement à l'aide de pas _____ ou _____.

Les questions qui suivent portent sur les tactiques et les règles.

34. Quels sont les quatre types de pas utilisés au badminton?

_____   _____

_____   _____

35. Quels sont les déplacements les plus difficiles à exécuter? (Voir catégories de déplacements.)

_____

36. Retours de service

a) En simple

Nommez deux types de réponses à un service long.

_____   _____

Nommez deux types de réponses à un service court.

_____   _____

b) En double

Nommez deux types de réponses à un service court.

_____   _____

Nommez deux types de réponses à un service long.

_____   _____

37. Tactiques utilisées en simple

a) Nommez deux tactiques utilisées en simple.

_____

_____

b) À quoi sert le service long ?

_____

_____

c) Vers quel endroit doit-on diriger un service long, et pourquoi ?

_____

_____

_____

38. Tactiques utilisées en double

a) Quelle est la position défensive en double ?

_____

_____

b) Quelle est la position offensive en double ?

_____

_____

c) Nommez trois tactiques utilisées en double.

_____

_____

_____

d) Pourquoi le service court est-il préférable en double ?

_____

_____

_____

39. Placez les joueurs correctement sur le diagramme ci-dessous en tenant compte de leur côté dominant. Le score est de 0-0 ; l'équipe A est au service.

A1 est gaucher.   B1 est gaucher.

A2 est droitier.   B2 est droitier.

40. Vrai ou faux ?

a) En double, on utilise régulièrement le service long.

☐ Vrai   ☐ Faux

b) En simple, il est recommandé de jouer davantage sur la longueur.

☐ Vrai   ☐ Faux

c) En double, après avoir effectué un service long, les joueurs se positionnent l'un derrière l'autre.

☐ Vrai   ☐ Faux

d) L'amorti est un coup défensif.

☐ Vrai   ☐ Faux

e) En simple, un joueur qui a un score impair sert à partir de la zone droite.

☐ Vrai   ☐ Faux

f) En cas d'égalité 20-20, le premier camp qui atteint 21 points gagne la manche.

☐ Vrai   ☐ Faux

g) En double, lors d'un service, le partenaire du serveur n'est pas tenu de respecter les lignes.

☐ Vrai   ☐ Faux

h) En double, lors d'un service, il n'est pas permis d'envoyer le volant dans le couloir de fond.

☐ Vrai   ☐ Faux

41. Aidez-vous du diagramme suivant, représentant un terrain subdivisé en petites zones, pour répondre aux questions ci-dessous. Chaque question peut comporter plus d'une réponse.

1	2	3	4	5	6
7	8	9	10	11	12
13	14	15	16	17	18
19	20			21	22
23	24	25	26	27	28
29	30	31	32	33	34

a) En simple, un service long est effectué depuis la zone 20. Dans quelle zone devrait tomber le volant pour une efficacité maximale? _____

b) En simple, un dégagé en parallèle est frappé depuis la zone 7. Dans quelle zone devrait être envoyé le volant? _____

c) En simple, un lob croisé est exécuté depuis la zone 26. Dans quelle zone devrait être envoyé le volant? _____

d) En simple, un amorti est effectué depuis la zone 13. Dans quelles zones devrait atterrir le volant? _____   _____

e) En simple, un smash est effectué depuis la zone 11. Dans quelles zones devrait atterrir le volant si on souhaite jouer loin de l'adversaire?

_____   _____

f) En double, un service court est effectué depuis la zone 17. Dans quelles zones devrait-on envoyer le volant si le retour effectué par le joueur en réception est un placement latéral? _____   _____

g) En double, où doit tomber le volant après un smash exécuté depuis la zone 22, si on souhaite semer la confusion? _____   _____

DEUXIÈME PARTIE
ÉVALUATIONS ET PROGRESSION

L'objectif du cours est le même pour tous: il s'agit d'appliquer une démarche conduisant à l'amélioration de son efficacité dans la pratique du badminton. Dans cette deuxième partie, nous vous proposons donc une démarche d'apprentissage adaptable aux caractéristiques de chaque joueur. Vous y trouverez de nombreux outils pédagogiques destinés à vous aider à améliorer progressivement votre efficacité au badminton. Vous ne devez pas nécessairement remplir toutes les grilles ou vous servir de tous les outils: utilisez seulement ceux dont vous avez besoin. Nous vous aiderons à les choisir au moment opportun. Par ailleurs, ces outils peuvent être adaptés aux différentes réalités et contraintes.

Description de la démarche d'apprentissage

Première étape: l'autoévaluation de départ (chapitre 5)

Au bout de trois ou quatre semaines, après vous être familiarisé avec la terminologie et les gestes techniques de base, vous devez dresser un portrait aussi fidèle que possible de vos habiletés en procédant à votre autoévaluation.

Utilisez la *grille 1: L'autoévaluation de départ* (p. 78). Vous pouvez vous faciliter la tâche en examinant au préalable votre degré de maîtrise des divers éléments figurant dans le *tableau 1: Portrait de votre niveau de jeu* (p. 76-77). À la fin de la session, vous réutiliserez la grille pour juger de vos progrès.

Deuxième étape: la détermination des objectifs (chapitre 6)

Lorsque vous avez une meilleure idée de votre niveau de jeu, vous devez vous fixer des objectifs qui tiennent compte de vos besoins. Choisissez trois ou quatre coups, une tactique et une attitude que vous désirez améliorer pendant la session. Pour chacun des coups, formulez un objectif observable et mesurable et faites un prétest. Remplissez les *fiches de suivi des objectifs* (*fiches 1 à 11*, p. 90-95) et servez-vous du *tableau 6: Les critères de réussite* (p. 88). La formulation et l'évaluation des objectifs constituent une démarche simple, non technique.

▶▶▶

Troisième étape : l'autoévaluation des coups (chapitre 7)

Après avoir déterminé vos objectifs, vous devez améliorer et parfaire les gestes techniques. Prenez d'abord conscience de la manière dont il faut les exécuter en observant les photos et les vidéos (sur le Compagnon web) ainsi qu'en analysant les descriptions techniques. Ensuite, procédez à l'autoévaluation de vos coups (et de vos déplacements) en utilisant les *grilles 2 à 17* (p. 100-115), en fonction des coups choisis. Déterminez les éléments techniques qu'il vous faut améliorer. Les *tableaux 2 à 5 sur les éléments à travailler par niveau* (p. 79-85) vous aideront dans cette tâche. Reportez les éléments ciblés dans vos fiches de suivi des objectifs, dans la section «éléments techniques à améliorer» (chapitre 6).

Quatrième étape : les exercices (chapitre 8)

Pour améliorer l'exécution technique de vos coups et de vos déplacements, il est important que vous expérimentiez diverses séquences de coups et mises en situation. Nous vous en proposons plusieurs. Choisissez celles qui vous conviennent. Puis, remplissez la section correspondante de vos fiches de suivi des objectifs (chapitre 6). Si vous éprouvez des problèmes lors de l'exécution de certains coups, consultez le *tableau 7 : Problèmes et solutions* (p. 96). Par ailleurs, des progressions pédagogiques par coups vous sont proposées sur le Compagnon web de l'ouvrage. Il s'agit de séries d'exercices évolutifs.

Cinquième étape : l'autoévaluation de l'efficacité en situation de jeu (chapitre 9)

À partir de la mi-session, vous êtes appelé à procéder à l'analyse de votre efficacité technique et tactique en situation de jeu, que ce soit en simple ou en double. Vous devez donc porter un jugement sur la façon dont vous jouez. Pour ce faire, utilisez les *trois fiches d'évaluation* fournies (p. 135, 138 et 141). Elles vous aideront à déterminer les tactiques et les coups de base que vous devez améliorer.

Sixième étape : l'autoévaluation finale (chapitres 5, 6 et 7)

À la fin de la session, vous devez refaire les tests d'objectifs (fiches de suivi des objectifs, p. 90-95) afin de juger si vous avez atteint les objectifs que vous vous êtes fixés. Vous devez aussi de nouveau remplir les grilles d'autoévaluation par coups (p. 100-115). De plus, vous devez remplir à nouveau la *grille 1 : L'autoévaluation de départ* (p. 78) et indiquer votre niveau de maîtrise dans la colonne «Fin de session». En théorie, si vous avez bien appliqué la démarche d'apprentissage, vous devriez avoir progressé.

Pour conclure, faites un bilan de la session (p. 151).

CHAPITRE 5

L'AUTOÉVALUATION
DE DÉPART
(ÉTAPE 1)

En début d'apprentissage, au bout de trois ou quatre semaines, vous devez dresser le portrait de vos habiletés techniques et stratégiques. Grâce à cette autoévaluation, vous êtes en mesure de bien connaître vos forces et vos faiblesses, et de bien cibler ce que vous devez améliorer. Les habiletés de base qu'un débutant doit maîtriser sont les déplacements, le service long et le dégagé.

Avant tout, l'enseignant doit avoir présenté les coups et leurs trajectoires. Puis, vous pouvez faire votre autoévaluation de départ en remplissant la *grille 1 : L'autoévaluation de départ* de la p. 78. Pour vous aider, utilisez le *tableau 1 : Portrait de votre niveau de jeu* des pages 76 et 77. Utilisez un surligneur pour mettre en évidence les affirmations qui vous décrivent le mieux. Vous pouvez également évaluer votre niveau de jeu en comptant le nombre de fois, en 10 essais, où vous arrivez à envoyer le volant au bon endroit. Si vous atteignez la cible entre 8 et 10 fois, vous êtes avancé ; 6 ou 7 fois, vous êtes de niveau intermédiaire ; 4 ou 5 fois, vous êtes débutant-intermédiaire ; et entre 0 et 3 fois, vous êtes débutant. Par contre, cette façon de faire laisse place à plus de subjectivité. Lorsque vous avez terminé, indiquez dans la colonne «À améliorer» les habiletés que vous souhaitez améliorer au cours de la session. Vous utiliserez de nouveau la grille 1 en fin de session, pour évaluer vos progrès.

TABLEAU 1   Portrait de votre niveau de jeu

Éléments à observer	Niveau débutant	Niveau débutant-intermédiaire
Prises de raquette	■ Prises aléatoires (marteau, poêlon).	■ Prise en marteau ou prise universelle.
Posture de base	■ Corps droit, pieds mal orientés et trop rapprochés, poids sur les talons, raquette trop basse, genoux non fléchis.	■ Corps droit, pieds rapprochés, poids sur les talons, raquette à la hauteur de la tête, genoux non fléchis ou peu fléchis.
Services	■ Services aléatoires et imprécis (trop hauts, trop courts). ■ Mauvaise posture (pieds parallèles, épaules face au filet, bras fléchi, tête de raquette près de la jambe dominante). ■ Absence de pronation de l'avant-bras.	■ Services longs trop bas et trop courts. Absence de pronation et de rotation des épaules. ■ Services courts trop hauts, imprécis et dirigés vers l'adversaire (mauvais angle de la raquette).
Retours de service	■ Retours aléatoires, généralement au centre, frappés par en dessous ou au niveau des yeux. ■ Mauvaise posture (jeu de face, bras fléchi, raquette trop basse, tamis orienté vers le filet). ■ Position ne permettant pas de protéger le revers.	■ Retours de service court frappés par en dessous en cloche et trop courts. ■ Retours de service long frappés légèrement au-dessus du niveau de la tête. Drives et dégagés trop courts, renvoyés au centre, tendus. ■ Posture irrégulière (jeu de face, bras fléchi, raquette trop basse, tamis orienté vers le filet).
Préparation des coups (phase préparatoire et phase d'exécution)	■ Corps face au filet, pieds parallèles, raquette trop basse, tamis orienté vers le filet. ■ Bras non armé vers l'arrière. Geste isolé du bras sans pronation ni supination. Absence de transfert de poids. ■ Joueur inerte et passif (ne bondissant pas sur le volant).	■ Corps plus ou moins face au filet, raquette trop basse, peu de transfert de poids. ■ Bras non armé vers l'arrière. Geste isolé du bras. Courte pronation ou supination. ■ Le volant n'est pas frappé à sa hauteur maximale (extension du bras incomplète).
Types de coups	■ Coups imprécis, sans puissance, courts. Volant poussé et frappé au niveau des yeux ou par en dessous. Incapacité du côté revers. ■ Absence d'ajustements posturaux. ■ Incapacité de relever des coups puissants. ■ Nombreuses fautes.	■ Coups tendus. Lobs et dégagés trop bas et trop courts. Difficulté du côté revers. Retours de smash laborieux et imprécis. Amortis et coups au filet rares ou absents. ■ Extension du bras et rotation de l'avant-bras incomplètes.
Trajectoires	■ Trajectoires courtes, en cloche, au centre du terrain. Coups par en dessous hasardeux. Coups en hauteur inexistants. ■ Absence de contrôle des trajectoires.	■ Trajectoires plus longues, tendues et ascendantes peu précises et peu puissantes. ■ Intention de rediriger le volant, d'en changer la direction.
Déplacements	■ Absence de déplacements ou déplacements très courts, désorganisés et mal coordonnés. Incapacité de reculer pour frapper. Mauvaise posture de base ne permettant pas de réagir rapidement. ■ Absence de blocage avant la frappe, donc instabilité.	■ Déplacements tardifs. Déplacements vers l'avant instables. Déplacements du côté revers déficients. Déplacements latéraux aisés du côté du coup droit. Déplacements vers l'arrière difficiles en pas courus. ■ Difficulté à effectuer une fente de la jambe dominante avant la frappe. ■ Mouvement de déplacement lorsque le volant est proche.
Repositionnement	■ Absence de repositionnement. Repositionnement tardif. Joueur hypnotisé par le volant.	■ Repositionnement tardif ou incomplet.
Coordination	■ Coordination très déficiente, mauvaise relation corps-raquette-volant. Gestes non fluides. Absence de dissociation segmentaire entre les deux bras et les deux jambes. Mouvements courts et lents. ■ Mauvaise lecture des trajectoires.	■ Relation corps-volant améliorée. Difficulté de dissociation segmentaire. Gestes courts et saccadés, discontinuité des actions motrices. ■ Difficulté à synchroniser ses mouvements. ■ Jugement de la trajectoire amélioré.
Attention	■ Attention centrée sur le volant. Absence d'intérêt pour l'adversaire et pour la technique.	■ Attention centrée sur le volant, sur les déplacements vers l'avant et sur les déplacements latéraux.
Stratégies	■ Absence d'intention stratégique; objectif unique de retourner le volant.	■ Volonté de repousser l'adversaire jusqu'aux trois quarts de son terrain et de le faire bouger de gauche à droite. ■ Mauvaise utilisation du filet. ■ Retours hauts et tendus.

TABLEAU 2   Les éléments à travailler pour le niveau débutant

Éléments à observer	Éléments à travailler	Exercices à effectuer
Prises de raquette	■ Prise universelle.	■ Faire des exercices de préhension et de manipulation. ■ Ramasser le volant au sol. ■ Faire bondir le volant sur la raquette.
Posture de base	■ Pieds écartés et parallèles. ■ Raquette devant le corps à la hauteur de l'abdomen. ■ Genoux fléchis.	■ Analyser la posture de base, la reprendre après chaque coup. ■ Faire des exercices avec des volants lancés, avec ou sans déplacements.
Services	■ Service court et service long : posture de base, bras en extension, avant-bras en supination, mouvement de balancier du bras, point de contact devant soi à la hauteur des genoux, pronation de l'avant-bras juste avant l'impact. ■ Service long seulement : course de la raquette se terminant au-dessus de l'épaule non dominante.	■ Faire le mouvement sans volant. ■ Frapper face au mur (raccourcir le mouvement et l'allonger graduellement, se concentrer sur les éléments de base). ■ Viser une cible sur le mur. ■ Faire des mises en situation. ■ Jouer des matchs sur un demi-terrain et sur le terrain.
Retours de service	■ Posture de base : pied dominant parallèle à la ligne de fond, raquette à la hauteur du filet, bras en extension. ■ Position en réception : coups du côté dominant. ■ Retours qui nécessitent peu de puissance. ■ Retours de service court : placement près d'une ligne, lob, drive ou frappe à plat dirigés vers le fond. ■ Retours de service long : amorti, dégagé. ■ Concentration sur le mouvement et non sur la force.	■ Analyser et comprendre la posture de base en réception. ■ Faire des séquences de coups à deux (un joueur sert court et l'autre effectue des retours spécifiques). ■ Raccourcir le mouvement et l'allonger graduellement. ■ Faire des séquences de coups avec des services courts ou longs. ■ Faire des mises en situation. ■ Jouer des matchs sur un demi-terrain et sur le terrain.
Préparation des coups	■ Posture de base en coup droit et en revers pour les coups au-dessus du niveau de la tête et par en dessous. ■ Position par rapport au volant. ■ Blocage avec la jambe dominante avant le coup. ■ Préparation du bras vers l'arrière. ■ Synchronisation du mouvement avec la chute du volant. ■ Extension du bras et rotation de l'avant-bras (pronation en coup droit et supination en revers).	■ Analyser et comprendre la posture de base pour les coups en hauteur et bas, en coup droit comme en revers. ■ Raccourcir le mouvement et l'allonger graduellement. ■ Effectuer le mouvement sans volant. ■ Faire des exercices face au mur et sur le terrain avec des volants lancés. ■ Faire des exercices avec un partenaire en renvoyant le volant sur le joueur en hauteur. ■ Faire des séquences de coups.
Types de coups	■ Service long et dégagé : posture de base, frappe du volant alors qu'il est devant soi, extension du bras, pronation de l'avant-bras. ■ Coups demandant peu de puissance : service court, lob, amorti, coup au filet.	■ Analyser et comprendre la façon d'exécuter les coups. ■ Effectuer le mouvement sans volant. ■ Faire des exercices face au mur et sur le terrain avec des volants lancés. ■ Faire des séquences de coups simples. ■ Faire des mises en situation. ■ Jouer des matchs sur un demi-terrain et sur le terrain.
Trajectoires	■ Angle de la raquette au moment du contact avec le volant. ■ Contact avec le volant le plus haut possible. ■ Trajectoires hautes et profondes (dégagé, lob, service long). ■ Trajectoires basses, courtes et tendues. ■ Contrôle de la direction.	■ Faire des exercices de manipulation. ■ Faire bondir le volant sur la raquette, en restant sur place puis en marchant. ■ Frapper le volant contre le mur. ■ Frapper le volant par en dessous et par-dessus. ■ Exécuter un même coup en variant l'angle de la raquette. ■ Varier les trajectoires (hautes, basses, courtes, longues, tendues, etc.). ■ Faire des séquences de coups simples. ■ Jouer des matchs sur un demi-terrain et sur le terrain.

TABLEAU 2 Les éléments à travailler pour le niveau débutant (suite)

Éléments à observer	Éléments à travailler	Exercices à effectuer
Déplacements	■ Posture de base, déplacements vers l'avant et déplacements latéraux. ■ Blocage de la jambe dominante avant le coup. ■ Fentes avant et fentes latérales. ■ Déplacements vers l'arrière en pas chassés (d'abord sans volant).	■ Faire des exercices de déplacement sans volant. ■ Faire des déplacements courts avec des volants lancés. ■ Par la suite, accroître la longueur des déplacements. ■ Faire la même chose avec des volants frappés par un partenaire. ■ Faire des séquences de coups simples. ■ Jouer des matchs sur un demi-terrain et sur le terrain.
Repositionnement	■ Retour au centre après chaque coup.	■ Faire des exercices de déplacement sans volant. ■ Faire des exercices lors desquels le joueur doit revenir toucher une cible au centre du terrain après chaque coup. ■ Faire des séquences de coups simples. ■ Jouer des matchs sur un demi-terrain et sur le terrain.
Coordination	■ Relation corps-raquette-volant. ■ Mouvements courts et fluides. ■ Dissociation segmentaire des bras et des jambes. ■ Synchronisation du geste avec la chute du volant. ■ Analyse des trajectoires.	■ Faire des exercices de manipulation. ■ Frapper le volant contre le mur. ■ Exécuter des échanges continus, frapper en hauteur. ■ Faire des séquences de coups simples. ■ Jouer des matchs sur un demi-terrain et sur le terrain.
Attention	■ Attention portée sur le volant, mais surtout sur l'exécution correcte des mouvements. ■ Repositionnement.	■ Faire des séquences de coups. ■ Faire des mises en situation. ■ Jouer des matchs sur un demi-terrain.
Stratégies	■ Retours du volant vers le centre à éviter. ■ Échanges qui durent.	■ Faire des séquences de coups. ■ Faire des mises en situation. ■ Jouer des matchs sur un demi-terrain.

TABLEAU 3 Les éléments à travailler pour le niveau débutant-intermédiaire

Éléments à observer	Éléments à travailler	Exercices à effectuer
Prises de raquette	■ Prise universelle. ■ Prise de revers.	■ Faire des exercices de manipulation. ■ Ramasser le volant au sol. ■ Faire bondir le volant sur la raquette.
Posture de base	■ Pieds écartés et parallèles. ■ Poids sur la partie avant des pieds. ■ Raquette devant le corps à la hauteur de l'abdomen. ■ Genoux fléchis. ■ Tronc légèrement incliné vers l'avant.	■ Analyser la posture de base et la reprendre après chaque coup. ■ Faire des exercices avec des volants lancés, avec ou sans déplacements.
Services	■ Service court et service long : posture de base, extension du bras, raquette amenée vers l'arrière, l'avant-bras en supination, parallèle au sol, mouvement de balancier du bras, rotation des épaules, contact avec le volant devant soi à la hauteur des genoux. ■ Service long seulement: pronation de l'avant-bras, course de la raquette se terminant au-dessus de l'épaule non dominante. Trajectoire haute et longue.	■ Faire le mouvement sans volant. ■ Frapper face au mur (raccourcir le mouvement et l'allonger graduellement, se concentrer sur les éléments de base). ■ Viser une cible sur le mur. ■ Faire des mises en situation. ■ Jouer des matchs sur un demi-terrain et sur le terrain.

TABLEAU 3   Les éléments à travailler pour le niveau débutant-intermédiaire (suite)

Éléments à observer	Éléments à travailler	Exercices à effectuer
Retours de service	■ Posture de base : pied dominant en arrière, parallèle à la ligne de fond, poids sur la partie avant des pieds, raquette à la hauteur du filet, bras armé, corps en angle par rapport au filet. ■ Position en réception : coups du côté dominant. ■ Retours qui nécessitent peu de puissance. ■ Retours de service court : placement près d'une ligne, lob, remise au filet, drive ou coup tendu dirigé vers le fond. ■ Retours de service long : amorti, dégagé. ■ Concentration sur le mouvement et non sur la force.	■ Analyser et comprendre la posture de base en réception. ■ Faire des séquences de coups à deux (un joueur sert court et l'autre effectue des retours spécifiques). ■ Raccourcir le mouvement et l'allonger graduellement. ■ Faire des séquences de coups avec des services courts ou longs. ■ Faire des mises en situation. ■ Jouer des matchs sur un demi-terrain et sur le terrain.
Préparation des coups	■ Posture de base pour les coups au-dessus du niveau de la tête et par en dessous. ■ Position par rapport au volant. ■ Préparation du bras vers l'arrière. ■ Blocage de la jambe dominante avant le coup. ■ Synchronisation du mouvement avec la chute du volant. ■ Transfert de poids amorcé par la jambe dominante. ■ Extension du bras. ■ Rotation de l'avant-bras. ■ Impact avec le volant alors qu'il est devant soi.	■ Analyser et comprendre la posture de base pour les coups en hauteur et à basse altitude, en coup droit comme en revers. ■ Raccourcir le mouvement et l'allonger graduellement. ■ Effectuer le mouvement sans volant. ■ Faire des exercices face au mur et sur le terrain avec des volants lancés. ■ Faire des exercices avec un partenaire en renvoyant le volant sur le joueur en hauteur. ■ Faire des séquences de coups.
Types de coups	■ Service long et dégagé : posture de base, frappe du volant alors qu'il est devant soi, poussée de la jambe dominante, extension du bras, pronation de l'avant-bras. ■ Coups demandant peu de puissance : service court, lob, amorti, coup au filet. ■ Coups du revers par en dessous et à mi-hauteur.	■ Analyser et comprendre la façon d'exécuter les coups. ■ Effectuer le mouvement sans volant. ■ Faire des exercices face au mur et sur le terrain avec des volants lancés. ■ Faire des séquences de coups simples. ■ Faire des mises en situation. ■ Jouer des matchs sur un demi-terrain et sur le terrain.
Trajectoires	■ Angle de la raquette au moment du contact avec le volant. ■ Contact avec le volant le plus haut possible. ■ Trajectoires hautes et profondes (dégagé, lob, service long). ■ Trajectoires basses, courtes et tendues. ■ Trajectoires longues demandant de la force. ■ Variation de la hauteur et de la direction.	■ Exécuter un même coup en variant l'angle de la raquette. ■ Varier les trajectoires (hautes, basses, courtes, longues, tendues, ascendantes, descendantes). ■ Faire des séquences de coups simples. ■ Faire des mises en situation. ■ Jouer des matchs sur un demi-terrain et sur le terrain.
Déplacements	■ Posture de base. ■ Stabilité. ■ Fentes avant et fentes latérales. ■ Blocage de la jambe dominante avant le coup. ■ Déplacements vers l'avant et déplacements latéraux. ■ Déplacements vers l'arrière en pas chassés. ■ Pas chassés et courus.	■ Faire des exercices de déplacement sans volant. ■ Faire des déplacements courts avec des volants lancés. ■ Par la suite, accroître la longueur des déplacements. ■ Faire la même chose avec des volants frappés par un partenaire. ■ Faire des séquences de coups simples. ■ Jouer des matchs sur un demi-terrain et sur le terrain.
Repositionnement	■ Retour au centre après chaque coup.	■ Faire des exercices de déplacement sans volant. ■ S'immobiliser avant le coup de l'adversaire. ■ Faire des exercices lors desquels le joueur doit revenir toucher une cible au centre du terrain après chaque coup. ■ Faire des séquences de coups. ■ Jouer des matchs.

TABLEAU 3 Les éléments à travailler pour le niveau débutant-intermédiaire (suite)

Éléments à observer	Éléments à travailler	Exercices à effectuer
Coordination	■ Relation corps-raquette-volant. ■ Mouvements courts et fluides. ■ Dissociation segmentaire des bras et des jambes. ■ Synchronisation du geste avec la chute du volant. ■ Analyse des trajectoires.	■ Faire des exercices de manipulation. ■ Frapper le volant contre le mur. ■ Exécuter des échanges continus, frapper en hauteur. ■ Faire des séquences de coups simples. ■ Jouer des matchs sur un demi-terrain et sur le terrain.
Attention	■ Attention portée sur le volant, mais surtout sur l'exécution correcte des mouvements.	■ Faire des séquences de coups. ■ Faire des mises en situation. ■ Jouer des matchs sur un demi-terrain.
Stratégies	■ Retours du volant vers le centre à éviter. ■ Retours bas et près du filet. ■ Déplacements forcés de l'adversaire de gauche à droite et inversement.	■ Faire des séquences de coups. ■ Faire des mises en situation. ■ Jouer des matchs sur un demi-terrain et sur le terrain.

TABLEAU 4 Les éléments à travailler pour le niveau intermédiaire

Éléments à observer	Éléments à travailler	Exercices à effectuer
Prises de raquette	■ Prise universelle. ■ Prise de revers.	■ Faire des exercices en alternant les coups droits et les coups du revers.
Posture de base	■ Poids sur la partie avant des pieds. ■ Raquette devant le corps à la hauteur de l'abdomen. ■ Genoux fléchis. ■ Tronc légèrement incliné vers l'avant.	■ Analyser et comprendre la posture de base, la reprendre après chaque coup. ■ Faire des séquences de coups. ■ Faire des mises en situation. ■ Jouer des matchs.
Services	■ Service long : point de contact, pronation de l'avant-bras, raquette terminant sa course au-dessus de l'épaule non dominante, hauteur et précision. ■ Service court : point de contact, angle de la tête de raquette, hauteur et précision. ■ Service long tendu : angle de la tête de raquette, pronation de l'avant-bras, précision.	■ Faire des exercices de service (allonger le mouvement). ■ Viser une cible au sol. ■ Faire des séquences de coups. ■ Faire des mises en situation. ■ Jouer des matchs sur un demi-terrain et sur le terrain.
Retours de service	■ Impact avec le volant le plus haut possible. ■ Bras en extension. ■ Retours de service court : placement près d'une ligne, lob offensif, remise au filet, drive, attaque au filet. ■ Retours de service long : amorti, dégagé offensif et défensif, smash.	■ Faire des séquences de coups à deux (un joueur sert court, l'autre effectue des retours de service spécifiques). ■ Faire des séquences de coups avec services longs et courts. ■ Faire des mises en situation. ■ Jouer des matchs sur un demi-terrain et sur le terrain.
Préparation des coups	■ Déplacements rapides. ■ Impact avec le volant devant soi. ■ Blocage de la jambe dominante avant le coup. ■ Préparation du bras vers l'arrière. ■ Synchronisation du mouvement avec la chute du volant. ■ Transfert de poids : poussée de la jambe dominante, rotation des hanches et des épaules, rotation vive de l'avant-bras.	■ Analyser la posture de base pour les coups en hauteur et à basse altitude, en coup droit et en revers. ■ Effectuer le mouvement sans volant. ■ Faire des exercices face au mur et sur le terrain avec des volants lancés. ■ Faire des séquences de coups. Faire des exercices avec un partenaire (le volant doit être renvoyé loin du joueur, en hauteur). ■ Faire des mises en situation. ■ Jouer des matchs sur un demi-terrain et sur le terrain.

TABLEAU 4   Les éléments à travailler pour le niveau intermédiaire (suite)

Éléments à observer	Éléments à travailler	Exercices à effectuer
Types de coups	■ Tous les coups (précision), avec une attention spéciale aux amortis et aux coups au filet (initiation au dégagé du revers). ■ Coups demandant de la puissance : dégagé, drive, smash. ■ Coups du revers. ■ Retours de smash. ■ Dégagé au-dessus du niveau de la tête. Jeu du côté dominant.	■ Analyser la façon d'exécuter les coups. ■ Effectuer le mouvement sans volant. ■ Faire des exercices face au mur et sur le terrain avec des volants lancés. ■ Faire des séquences de coups simples et complexes. ■ Faire des mises en situation. ■ Jouer des matchs sur un demi-terrain et sur le terrain.
Trajectoires	■ Angle de la raquette au moment du contact avec le volant. ■ Impact avec le volant le plus haut possible. ■ Coups en hauteur et en profondeur (dégagé, lob, service long). ■ Trajectoires basses, courtes et tendues. ■ Variation de la hauteur, de la force, de la direction et de l'angle. ■ Trajectoires descendantes (smash, attaque au filet, amorti).	■ Exécuter des frappes par en dessous et par-dessus. ■ Varier l'angle de la raquette pour un même coup. ■ Faire des séquences de coups avec variation des trajectoires : hautes, basses, courtes, longues, tendues, ascendantes, descendantes. ■ Jouer des matchs sur un demi-terrain et sur le terrain.
Déplacements	■ Blocage de la jambe dominante avant le coup et autres fentes. ■ Maîtrise des déplacements vers l'avant et des déplacements latéraux. ■ Maîtrise des déplacements vers l'arrière (pas chassés, croisés). ■ Saut d'allègement (initiation). ■ Rapidité d'exécution et équilibre dans toutes les directions. ■ Stabilité des déplacements vers l'avant et des déplacements latéraux.	■ Faire des exercices d'enchaînement de déplacements sans volant. ■ Exécuter des enchaînements de déplacements courts et longs avec des volants lancés ou frappés. ■ Faire des séquences de coups simples. ■ Jouer des matchs sur un demi-terrain et sur le terrain. ■ Jouer des matchs à deux contre un ou avec interdictions.
Repositionnement	■ Repositionnement rapide au centre après chaque coup. ■ Immobilisation avant le coup de l'adversaire.	■ Faire des exercices lors desquels le joueur doit revenir toucher une cible au centre du terrain après chaque coup. ■ Faire des séquences de coups. ■ Jouer des matchs sur un demi-terrain et sur le terrain.
Coordination	■ Dissociation segmentaire des bras et des jambes, puis de la tête et du tronc. ■ Précision du synchronisme et de la relation corps-volant.	■ Exécuter des échanges continus, frapper en hauteur. ■ Faire des séquences de coups. ■ Faire des mises en situation. ■ Jouer des matchs sur un demi-terrain et sur le terrain.
Attention	■ Attention portée sur le repositionnement au centre et sur la qualité des retours. ■ Observation de l'adversaire entre les coups.	■ Faire des séquences de coups. ■ Faire des mises en situation. ■ Jouer des matchs sur un demi-terrain et sur le terrain.
Stratégies	■ Adversaire à repousser au fond du terrain. ■ Déplacements forcés de l'adversaire de gauche à droite. ■ Jeu sur son revers. ■ Jeu avant-arrière, envoi du volant aux quatre coins.	■ Faire des séquences de coups. ■ Faire des mises en situation. ■ Jouer des matchs sur un demi-terrain et sur le terrain.

TABLEAU 5   Les éléments à travailler pour le niveau avancé

Éléments à observer	Éléments à travailler	Exercices à effectuer
Prises de raquette	■ Prise de revers. ■ Prises variées et adaptées aux situations.	■ Alterner les coups droits et les coups du revers. ■ Faire des exercices au filet avec des volants lancés et avec des coups exécutés de façon continue.
Posture de base	■ Orientation des pieds en fonction du retour qui a été effectué.	■ Reprendre la posture de base après chaque coup. ■ Faire des séquences de coups. ■ Faire des mises en situation. ■ Jouer des matchs.
Services	■ Précision et variété des services court, long et tendu, dirigés au centre ou en angle.	■ Faire des séquences de coups. ■ Faire des mises en situation. ■ Jouer des matchs.
Retours de service	■ Bondissement vers le volant. ■ Impact avec le volant le plus haut possible. ■ Retours de service court: placement près d'une ligne, lob offensif, remise au filet, drive, attaque au filet. ■ Retours de service long: dégagé offensif, amorti coupé, amorti brossé, smash, smash coupé.	■ Faire des séquences de coups. ■ Faire des mises en situation. ■ Jouer des matchs.
Préparation des coups	■ Déplacements très rapides. ■ Fluidité du mouvement. ■ Efficacité du transfert de poids. ■ Mouvement long et fluide de la raquette. ■ Pronations et supinations complètes et explosives. ■ Impact avec le volant le plus haut possible.	■ Faire des séquences de coups avec ou sans déplacements. ■ Faire des mises en situation. ■ Jouer des matchs, notamment des matchs à deux contre un.
Types de coups	■ Précision de tous les coups. ■ Puissance des coups et des feintes. ■ Coups à effet (coupé, brossé, piqué). ■ Retours de smash. ■ Dégagé et amorti du revers.	■ Analyser et comprendre la façon d'exécuter les coups spécifiques. ■ Faire des séquences de coups simples et complexes. ■ Jouer des matchs, notamment des matchs à deux contre un ou avec interdictions et obligations.
Trajectoires	■ Trajectoires basses et tendues. ■ Profondeur, hauteur, direction et précision. ■ Trajectoires descendantes: smash, attaque au filet, amorti rapide et lent, demi-smash.	■ Exécuter un même coup en variant l'angle de la raquette (effets). ■ Varier les trajectoires (hautes, basses, courtes, longues, tendues, ascendantes, descendantes). ■ Faire des séquences de coups simples. ■ Jouer des matchs sur un demi-terrain et sur le terrain.
Déplacements	■ Déplacements vers l'arrière du côté revers avec coup droit. ■ Déplacements vers l'arrière du côté revers avec coup du revers. ■ Saut d'interception, jeu en suspension. ■ Saut d'allègement (maîtrise). ■ Rapidité d'exécution et stabilité.	■ Effectuer des exercices d'enchaînement de déplacements très rapides sans volant. ■ Faire des enchaînements de déplacements courts et longs avec des volants lancés ou frappés. ■ Jouer des matchs à deux contre un ou avec interdictions et obligations.
Repositionnement	■ Repositionnement stratégique (attaque contre défense).	■ Effectuer des exercices où le joueur doit revenir toucher une cible au centre du terrain après chaque coup. ■ Faire des mises en situation. ■ Faire des séquences de coups. ■ Jouer des matchs, notamment des matchs à deux contre un ou avec interdictions et obligations.

TABLEAU 5   Les éléments à travailler pour le niveau avancé (suite)

Éléments à observer	Éléments à travailler	Exercices à effectuer
Coordination	■ Combinaison et enchaînement d'actions motrices. ■ Saut avec inversion des pieds lors de la frappe. ■ Dissociation segmentaire de tout le corps. ■ Coups en suspension, saut d'interception.	■ Effectuer des exercices de coups tendus. ■ Faire des mises en situation. ■ Faire des séquences de coups. ■ Jouer des matchs, notamment des matchs à deux contre un ou avec interdictions et obligations.
Attention	■ Attention portée sur l'utilisation optimale des coups. ■ Perception des déséquilibres de l'adversaire.	■ Faire des séquences de coups. ■ Faire des mises en situation. ■ Jouer des matchs sur un demi-terrain et sur le terrain, notamment des matchs à deux contre un ou avec interdictions et obligations.
Stratégies	■ Variation du rythme du jeu. ■ Patience. ■ Utilisation de trajectoires tendues. ■ Envoi du volant aux quatre coins. ■ Jeu sur le revers de l'adversaire.	■ Faire des séquences de coups. ■ Faire des mises en situation. ■ Jouer des matchs sur un demi-terrain et sur le terrain, notamment des matchs à deux contre un ou avec interdictions et obligations.

CHAPITRE 6

LA DÉTERMINATION DES OBJECTIFS
(ÉTAPE 2)

Pour s'améliorer dans une activité, il est important de se fixer des objectifs. Ceux-ci permettent d'observer et de mesurer ses progrès. Ils constituent également un facteur de motivation. Pour avoir de bons résultats, ils doivent être réalistes et tenir compte des habiletés de base et des expériences de l'apprenant en lien avec l'activité. Un débutant et un joueur avancé n'auront pas les mêmes objectifs, que ce soit en ce qui a trait aux coups à améliorer ou aux performances visées. Lorsque vous précisez vos objectifs, vous devez tenir compte du temps dont vous disposez pour les atteindre. La structure que nous vous proposons est facile à utiliser, et elle est très objective. Vous devez choisir trois ou quatre coups à exécuter 10 fois chacun, et viser le plus de fois possible une cible bien définie en respectant certains critères. Quand vous réussissez, vous accumulez des points. Vous pouvez vous-même choisir les coups, mais ceux-ci peuvent aussi être imposés par votre professeur, en tout ou en partie. Nous vous recommandons de choisir un service (court asiatique, court ou long), un coup exécuté du fond du terrain (amorti ou dégagé), un coup effectué près du filet (lob ou coup au filet).

LE CHOIX DES OBJECTIFS

1. Choisissez trois ou quatre coups, une tactique et une attitude et prenez les *fiches de suivi des objectifs* correspondantes parmi celles qui sont fournies aux pages 90 à 95.

2. Formulez vos objectifs (voir section ci-dessous) et dessinez les trajectoires des coups dans les diagrammes se trouvant en haut des fiches.

3. Effectuez un prétest pour chaque coup, puis reportez le résultat obtenu dans la fiche. Si le résultat que vous avez obtenu est égal ou supérieur à celui de votre objectif, élevez celui-ci pour qu'il représente un défi.

4. Effectuez le test final pour chaque coup en fin de session. De cette façon, vous pourrez juger si vous avez atteint votre objectif. Reportez le résultat obtenu dans la fiche.

LA FORMULATION DES OBJECTIFS

Un objectif doit comporter un échéancier (telle date ou telle semaine). Il doit comprendre un verbe d'action (par exemple : «J'accumulerai...») et nommer le coup choisi ainsi que le nombre d'essais (toujours 10).

Un objectif doit pouvoir être observé et mesuré, et doit comporter certains critères de réussite (par exemple, l'endroit où vous devez envoyer le volant). Un coup réussi donne un maximum de 2 points. Référez-vous au *tableau 6* ci-dessous sur les *critères de réussite* pour évaluer votre degré de réussite. Le maximum est 20 points. Si la trajectoire du volant pour un coup donné est trop haute, trop basse, trop courte ou trop longue, le pointage accordé est de 0.

Exemple d'objectif à atteindre

«À la fin de la session, j'accumulerai 8 points ou plus à l'aide de 10 services longs aux trajectoires paraboliques envoyés dans le corridor de fond. »

TABLEAU 6 Les critères de réussite

Coups	Critères de réussite
Service court et service court asiatique	*Hauteur* ■ Moins de 30 cm au-dessus du filet. ■ 0 point si le volant dépasse cette hauteur.
	Longueur ■ 2 points si le volant tombe dans la zone de service entre la ligne de service court et une ligne imaginaire tracée à 50 cm. ■ 1 point si le volant tombe entre cette ligne imaginaire et une deuxième, tracée à 1 m. ■ 0 point si le volant tombe au-delà de 1 m.
Service long	*Hauteur* ■ Plus de la moitié de la distance séparant le sol et le plafond (très haut, trajectoire parabolique). ■ 0 point si le volant passe plus bas.
	Longueur ■ 2 points si le volant tombe dans le couloir de fond. ■ 1 point si le volant tombe à moins de 50 cm de la ligne de service long en double. ■ 0 point si la trajectoire est plus courte.

TABLEAU 6   Les critères de réussite (suite)

Coups	Critères de réussite
Dégagé (défensif)	*Hauteur* ■ Plus de la moitié de la distance séparant le sol et le plafond (très haut, coup dirigé vers le plafond). ■ 0 point si le volant passe plus bas.
	Longueur ■ 2 points si le volant tombe dans le couloir de fond. ■ 1 point si le volant tombe à moins de 50 cm de la ligne de service long en double. ■ 0 point si la trajectoire est plus courte.
Amorti (lent) et amorti du revers	*Hauteur* ■ Moins de 30 cm au-dessus du filet (la trajectoire doit être descendante). ■ 0 point si le volant passe plus haut.
	Longueur ■ 2 points si le volant tombe entre le filet et la ligne de service court. ■ 1 point si le volant tombe entre la ligne de service court et une ligne imaginaire tracée à 50 cm de celle-ci. ■ 0 point si le volant tombe à plus de 50 cm derrière la ligne de service court.
Lob du coup droit ou du revers (défensif)	*Hauteur* ■ Plus de la moitié de la distance séparant le sol et le plafond (très haut, trajectoire parabolique). ■ 0 point si le volant passe plus bas.
	Longueur ■ 2 points si le volant tombe dans le couloir de fond. ■ 1 point si le volant tombe à moins de 50 cm de la ligne de service long en double. ■ 0 point si la trajectoire est plus courte.
Coup au filet du coup droit ou du revers	*Hauteur* ■ Moins de 30 cm au-dessus du filet. ■ 0 point si le volant dépasse cette hauteur.
	Longueur ■ 2 points si le volant tombe à moins de 50 cm du filet. ■ 1 point si le volant tombe entre une ligne imaginaire tracée à 50 cm du filet et une autre à 1 m du filet. ■ 0 point si le volant tombe à plus de 1 m du filet.
Smash	*Précision* ■ 2 points si le volant tombe à moins de 1 m de la ligne de côté. ■ 1 point si le volant tombe entre 1 m et 1,5 m de la ligne de côté. ■ 0 point si le volant tombe à plus de 1,5 m de la ligne de côté.
	Longueur ■ Entre la ligne de service court et la ligne de fond. ■ 0 point s'il dépasse la ligne de fond.
	Puissance ■ 0 point si le coup n'est pas assez puissant.
Dégagé du revers (défensif)	*Hauteur* ■ Plus de la moitié de la distance séparant le sol et le plafond (très haut, coup dirigé vers le plafond). ■ 0 point si le volant passe plus bas.
	Longueur ■ 2 points si le volant tombe dans le couloir de fond. ■ 1 point si le volant tombe à moins de 50 cm de la ligne de service long en double. ■ 0 point si la trajectoire est plus courte.

Fiche de suivi des objectifs 1	**Fiche de suivi des objectifs 2**

Le service court traditionnel ou asiatique | Le service long

Objectif : _____

Résultat du prétest : _____ /20   Date : _____

Éléments techniques à améliorer (voir p. 100 et 102) :

Situations d'apprentissage (voir p. 122) :

Résultat du test final : _____ /20   Date : _____

Objectif atteint (oui/non). Pourquoi ?

Difficulté(s) éprouvée(s) (voir p. 96-98) :

Objectif : _____

Résultat du prétest : _____ /20   Date : _____

Éléments techniques à améliorer (voir p. 101) :

Situations d'apprentissage (voir p. 122) :

Résultat du test final : _____ /20   Date : _____

Objectif atteint (oui/non). Pourquoi ?

Difficulté(s) éprouvée(s) (voir p. 96-98) :

Fiche de suivi des objectifs 3	**Fiche de suivi des objectifs 4**
Le dégagé	**L'amorti**

Fiche de suivi des objectifs 3

Le dégagé

Objectif: _____

_____

_____

_____

_____

Résultat du prétest: _____ /20　Date: _____

Éléments techniques à améliorer (voir p. 103):

_____

_____

_____

Situations d'apprentissage (voir p. 122):

_____

_____

_____

Résultat du test final: _____ /20　Date: _____

Objectif atteint (oui/non). Pourquoi?

_____

_____

_____

_____

Difficulté(s) éprouvée(s) (voir p. 96-98):

_____

_____

_____

_____

Fiche de suivi des objectifs 4

L'amorti

Objectif: _____

_____

_____

_____

_____

Résultat du prétest: _____ /20　Date: _____

Éléments techniques à améliorer (voir p. 104):

_____

_____

_____

Situations d'apprentissage (voir p. 122):

_____

_____

_____

Résultat du test final: _____ /20　Date: _____

Objectif atteint (oui/non). Pourquoi?

_____

_____

_____

_____

Difficulté(s) éprouvée(s) (voir p. 96-98):

_____

_____

_____

_____

Fiche de suivi des objectifs 5	**Fiche de suivi des objectifs 6**
Le lob du coup droit ou du revers	**Le coup au filet du coup droit ou du revers**

Objectif : _____

_____

_____

_____

Résultat du prétest : _____ /20   Date : _____

Éléments techniques à améliorer (voir p. 110) :

_____

_____

Situations d'apprentissage (voir p. 122) :

_____

_____

Résultat du test final : _____ /20   Date : _____

Objectif atteint (oui/non). Pourquoi ?

_____

_____

_____

Difficulté(s) éprouvée(s) (voir p. 96-98) :

_____

_____

_____

Objectif : _____

_____

_____

_____

Résultat du prétest : _____ /20   Date : _____

Éléments techniques à améliorer (voir p. 109) :

_____

_____

Situations d'apprentissage (voir p. 122) :

_____

_____

Résultat du test final : _____ /20   Date : _____

Objectif atteint (oui/non). Pourquoi ?

_____

_____

_____

Difficulté(s) éprouvée(s) (voir p. 96-98) :

_____

_____

_____

Fiche de suivi des objectifs 7	Fiche de suivi des objectifs 8
Le smash	**Le dégagé du revers**

Objectif : _____

_____

_____

_____

_____

Résultat du prétest : _____ /20   Date : _____

Éléments techniques à améliorer (voir p. 105) :

_____

_____

_____

Situations d'apprentissage (voir p. 122) :

_____

_____

_____

Résultat du test final : _____ /20   Date : _____

Objectif atteint (oui/non). Pourquoi ?

_____

_____

_____

_____

Difficulté(s) éprouvée(s) (voir p. 96-98) :

_____

_____

_____

_____

Objectif : _____

_____

_____

_____

_____

Résultat du prétest : _____ /20   Date : _____

Éléments techniques à améliorer (voir p. 106) :

_____

_____

_____

Situations d'apprentissage (voir p. 122) :

_____

_____

_____

Résultat du test final : _____ /20   Date : _____

Objectif atteint (oui/non). Pourquoi ?

_____

_____

_____

_____

Difficulté(s) éprouvée(s) (voir p. 96-98) :

_____

_____

_____

_____

Fiche de suivi des objectifs 9

Au choix:

Objectif: _____

_____

_____

_____

Résultat du prétest: _____/20   Date: _____

Éléments techniques à améliorer:

_____

_____

Situations d'apprentissage (voir p. 122):

_____

_____

Résultat du test final: _____/20   Date: _____

Objectif atteint (oui/non). Pourquoi?

_____

_____

_____

Difficulté(s) éprouvée(s) (voir p. 96-98):

_____

_____

_____

_____

Fiche de suivi des objectifs 10

Tactique:

Objectif: _____

_____

_____

_____

Éléments techniques ou coups à améliorer afin d'accroître mon efficacité tactique:

_____

_____

Fréquence d'utilisation
(jamais, rarement, régulièrement, souvent): _____

Pourcentage d'efficacité: _____

Situations d'apprentissage (voir p. 122):

_____

_____

Objectif atteint (oui/non). Pourquoi?

_____

_____

_____

Difficulté(s) éprouvée(s) (voir p. 96-98):

_____

_____

_____

_____

Fiche de suivi des objectifs 11 : Les attitudes

Attitudes	Jamais	Parfois	Souvent	Toujours
Respect des autres joueurs et des règles				
Esprit sportif (dans la victoire comme dans la défaite)				
Entraide et coopération J'encourage les autres. Je m'implique activement dans la démarche d'évaluation de mes partenaires. Je leur fais des commentaires constructifs.				
Dépassement personnel Je veux m'améliorer et je fais des efforts pour y arriver. Je suis déterminé, je désire atteindre mes objectifs.				
Constance de l'effort durant les exercices afin d'améliorer les gestes techniques Je suis concentré, je persévère.				
Constance de l'effort durant les parties Je fais de mon mieux et je n'abandonne jamais. Je fais preuve de persévérance et de combativité.				
Contrôle de ses émotions				
Autocritique Je suis capable de me remettre en question et de cibler les éléments que je dois améliorer. Je prends le temps d'analyser mes forces et mes faiblesses. J'essaie de surmonter mes difficultés techniques et stratégiques. Je suis attentif à mes attitudes. J'accepte de faire des erreurs.				
Confiance en soi et pensée positive J'essaie de rester positif quoi qu'il arrive.				
Implication consciente dans l'action Je tente d'appliquer et de développer les stratégies de base. J'analyse mon adversaire afin de connaître ses forces et ses faiblesses.				
Combativité Je suis alerte et éveillé. Je réagis rapidement. Je ne suis ni passif ni nonchalant.				

Choisissez une attitude que vous désirez améliorer parmi celles que nous venons de présenter.

Objectif :

_____

_____

Moyens utilisés pour atteindre votre objectif et éléments à surveiller :

_____

_____

Objectif atteint (oui/non). Justifications ?

_____

_____

_____

Difficulté(s) éprouvée(s) :

_____

_____

_____

TABLEAU 7 Problèmes et solutions

Problèmes	Causes	Solutions
Le joueur est en retard sur le volant.	■ Il est hypnotisé par le volant; il en oublie même de bouger.	■ Se concentrer pour entamer le déplacement en direction de l'envoi dès que l'adversaire frappe le volant.
	■ Il n'utilise pas les bons pas pour se déplacer.	■ Faire des déplacements sans volant. ■ Faire des déplacements courts en prenant soin de faire les bons pas.
	■ Il ne se repositionne pas au centre après chaque coup.	■ Se repositionner au centre après chaque coup. ■ S'exercer à toucher une cible au centre du terrain entre les coups.
	■ Il se déplace trop lentement.	■ Exécuter des coups dont la trajectoire est haute et lente. ■ Jouer sur un demi-terrain.
Le joueur manque le volant.	■ Il fait preuve d'une mauvaise coordination main-raquette-volant.	■ Faire des exercices de manipulation avec la raquette. ■ Ramasser un volant au sol et le faire bondir sur la raquette. ■ Raccourcir le mouvement. ■ Toujours garder un œil sur le volant.
	■ Il a de la difficulté à évaluer la trajectoire du volant.	■ Faire des exercices face au mur avec des volants lancés. ■ Raccourcir le mouvement. ■ Faire des exercices avec des volants frappés haut et au milieu du terrain.
	■ Il a un problème technique (mauvaise prise de raquette, mouvement mal exécuté).	■ Faire des exercices avec des volants lancés en se concentrant sur quelques éléments techniques. ■ Raccourcir le mouvement.
	■ Il n'est pas en équilibre au moment de frapper (voir problème suivant).	
Le joueur est en déséquilibre lors du coup.	■ Il n'utilise pas les bons pas.	■ Faire des déplacements sans volant. ■ Faire des déplacements courts en prenant soin de faire les bons pas.
	■ Il ne termine pas son déplacement sur la bonne jambe (jambe dominante).	■ Faire des déplacements courts avec ou sans volant, mais avec obligation de terminer sur la jambe dominante. ■ Faire des exercices avec des volants lancés.
	■ Ses deux pieds ne sont pas en contact avec le sol.	■ Prendre le temps de poser les deux pieds au sol avant de frapper.
	■ Il ne fait pas de fente de la jambe dominante avant de frapper.	■ Stabiliser le corps en effectuant une fente avant le coup. ■ Faire des exercices avec volants lancés ou envoyés très haut.
Le joueur manque de puissance. Problème d'exécution technique du mouvement.	■ Il fait une extension incomplète du bras. ■ Il ne fait pas de pronation ou de supination (ou ne la complète pas). ■ Il fait un transfert de poids déficient. ■ Il effectue une poussée de sa jambe dominante ou une rotation de ses hanches ou de ses épaules. ■ Il fait un mouvement trop lent. ■ Son mouvement se termine trop rapidement.	■ Faire des exercices sans déplacements avec des volants lancés avec les mains ou frappés en hauteur par un partenaire. ■ Adopter d'abord la bonne posture de base pour ensuite se concentrer sur l'élément technique à améliorer. ■ Raccourcir le mouvement mais l'exécuter rapidement. ■ S'assurer de bien terminer le mouvement. ■ Faire le même genre d'exercices en intégrant un déplacement court. ■ Allonger graduellement le mouvement.

TABLEAU 7 Problèmes et solutions (suite)

Problèmes	Causes	Solutions
Le joueur manque de puissance. Problème de coordination, de dissociation segmentaire ou de synchronisme.	■ Il adopte une mauvaise position par rapport au volant. ■ Il frappe le volant au niveau des yeux. ■ Quand le volant arrive de haut, il le laisse descendre trop longtemps. ■ Il joue le volant derrière lui, au-dessus de sa tête ou sur le côté de son corps. ■ Il fait une mauvaise dissociation segmentaire au niveau des bras et des jambes ou de la tête et du tronc.	■ Faire des exercices de manipulation afin de développer la relation corps-raquette. ■ Faire des exercices sans déplacements avec des volants lancés avec les mains ou frappés en hauteur. ■ Faire des exercices avec des volants dont la trajectoire est haute et courte afin de s'obliger à foncer sur le volant. ■ Adopter d'abord la bonne posture de base pour ensuite prendre le temps de bien analyser la trajectoire du volant et ajuster sa posture à sa chute. ■ Raccourcir le mouvement rapidement. ■ S'assurer de bien terminer le mouvement.
Le joueur manque de puissance. Problème de déplacement qui nuit à l'exécution correcte du mouvement *(voir page précédente)*.	■ Il est en retard sur le volant. ■ Il est en déséquilibre lors de la frappe.	■ Faire des exercices avec des volants lancés et des déplacements courts. ■ Par la suite, accroître la longueur des déplacements.
Le joueur manque de précision. Problème d'exécution technique du mouvement.	■ Ses mouvements manquent de fluidité ou sont mal exécutés.	■ Raccourcir le mouvement et se concentrer sur les éléments qui ne sont pas bien maîtrisés. ■ Faire des exercices avec des volants lancés ou frappés en hauteur. ■ S'assurer de bien terminer le mouvement.
Le joueur manque de précision. Problème de coordination, de dissociation segmentaire ou de synchronisme.	■ Il laisse descendre le volant trop longtemps, diminuant ainsi son angle d'attaque.	■ Faire des exercices avec des volants dont la trajectoire est haute et courte afin de s'obliger à foncer sur le volant. ■ Faire des exercices avec des volants lancés en se concentrant pour que le point de contact soit le plus haut possible.
Le joueur manque de précision. Problème de déplacement qui nuit à l'exécution correcte du mouvement *(voir page précédente)*.	■ Il se prépare mal et adopte une mauvaise position par rapport au volant.	■ Faire des exercices de manipulation afin de développer la relation corps-raquette.
	■ Il frappe le volant alors que celui-ci est derrière lui ou au-dessus de sa tête.	■ Faire des exercices sans déplacements avec des volants lancés avec les mains ou frappés en hauteur. ■ Faire des exercices avec des volants dont la trajectoire est haute et courte afin de s'obliger à foncer sur le volant.
	■ Il fait une mauvaise dissociation segmentaire au niveau des bras et des jambes ou de la tête et du tronc.	■ Adopter d'abord la bonne posture de base pour ensuite prendre le temps de bien analyser la trajectoire du volant et ajuster sa posture à sa chute. ■ Raccourcir le mouvement rapidement. ■ S'assurer de bien terminer le mouvement. ■ Adopter la bonne position de base. ■ Se concentrer sur les mouvements distincts des bras et des jambes. ■ Faire des exercices de coups droits en hauteur avec des volants lancés. ■ Faire des exercices de services longs et de coups par en dessous.
	■ Il peine à bien se positionner sur le terrain.	■ Avant de frapper, se demander où l'on est sur le terrain. ■ Faire des exercices exigeant des déplacements avec retours en hauteur.
	■ Il est en déséquilibre au moment de la frappe.	■ *Voir tableau page précédente.*
	■ Il est en retard sur le volant.	■ *Voir tableau page précédente.*

TABLEAU 7 Problèmes et solutions (suite)

Problèmes	Causes	Solutions
Le joueur a des problèmes de trajectoire. Les retours longs manquent de hauteur et de profondeur. Les retours bas manquent de précision et sont souvent trop hauts. Le joueur a de la difficulté à frapper des coups à trajectoire descendante.	■ Il fait de mauvais déplacements, ce qui le retarde et le met en déséquilibre au moment du coup.	■ Faire des exercices et des séquences de coups avec des déplacements.
	■ Il laisse descendre le volant trop longtemps, diminuant ainsi son angle d'attaque.	■ Faire des exercices avec des volants lancés en se concentrant pour que le point de contact soit le plus haut possible.
	■ Il donne un mauvais angle à sa raquette lors du contact.	■ Faire des coups en variant l'angle de la raquette et en observer l'incidence sur le volant.
	■ Il fait une mauvaise exécution technique entraînant un manque de puissance ou de précision.	■ Faire des exercices avec des volants lancés en se concentrant sur quelques éléments techniques. ■ Raccourcir le mouvement.
	■ Il est mal positionné par rapport au volant.	■ Faire des exercices de manipulation afin de développer la relation corps-raquette. ■ Faire des exercices sans déplacements avec des volants lancés avec les mains. ■ Se concentrer afin de bien se positionner par rapport au volant.

L'AUTOÉVALUATION DES COUPS
(ÉTAPE 3)

Maintenant que vous avez déterminé vos objectifs, il vous faut améliorer et perfectionner les coups et les déplacements que vous avez choisis. Pour y arriver, vous devez prendre conscience de la manière dont on les exécute. Prenez le temps de bien lire et de bien comprendre les descriptions techniques. Analysez ensuite les mouvements en observant les démonstrations de votre enseignant et les vidéos  du Compagnon web.

Par la suite, vous devez juger de la qualité technique de vos coups et de vos déplacements (sur 10 points) ainsi que de leur efficacité globale (sur 15 points). Pour ce faire, prenez, parmi les *grilles 2 à 17 d'auto-évaluation*, celles qui correspondent à vos choix d'objectifs. Remplissez la colonne «Mi-session». Vous remarquerez que le pointage maximal varie d'un élément technique à l'autre. Certains éléments sont en effet plus importants à maîtriser que d'autres. Portez bien attention aux erreurs à éviter qui sont énumérées sous chaque grille.

Lorsque vous avez terminé, ciblez, pour chaque coup et déplacement, deux ou trois éléments techniques à améliorer. Si vous êtes débutant, nous vous conseillons de vous concentrer sur ceux qui sont précédés d'un carré bleu. Vous pouvez également consulter, selon votre niveau d'habileté, l'un des *tableaux 2 à 5 présentant les éléments à travailler* (chapitre 5). Reportez les éléments techniques choisis dans la section correspondante de vos *fiches de suivi des objectifs* (chapitre 6).

À la fin de la session, vous devez juger de vos progrès en faisant une seconde évaluation de vos coups et de vos déplacements. Vous pouvez également vous faire évaluer par un partenaire. Cet exercice, qui a pour but de favoriser l'implication et l'entraide, vous fournit un point de vue extérieur sur vos mouvements.

GRILLE 2   L'autoévaluation du service court

Éléments techniques		Mi-session	Fin de session	Évaluation par un pair
Phase préparatoire	■ Je fais pointer mon pied non dominant en direction de l'envoi; je place mon pied dominant en arrière, de manière à ce que mes pieds forment un angle de 45 degrés. Je tiens le volant devant moi, à la hauteur de ma poitrine.	/1	/1	/1
	■ Je place mon épaule non dominante face au filet.	/1	/1	/1
	■ J'amène la tête de ma raquette vers l'arrière, à la hauteur de mes hanches, parallèlement au sol, le bras en légère extension, l'avant-bras en supination et le poignet en extension et en déviation radiale.	/1	/1	/1
Phase d'exécution	■ Je laisse chuter le volant devant moi, légèrement de mon côté dominant, puis j'amorce un transfert de poids de ma jambe dominante à ma jambe non dominante. Ensuite, j'effectue une rotation des épaules et des hanches.	/1	/1	/1
	■ J'amorce un mouvement de balancier de mon bras dominant, vers l'avant et de bas en haut, commençant derrière le corps, en avançant d'abord mon coude dominant.	/2	/2	/2
	■ Juste avant le contact avec le volant, j'effectue une légère pronation de mon avant-bras.	/2	/2	/2
	■ Je frappe le volant légèrement devant mon corps, à la hauteur de mes cuisses ou de ma taille.	/1	/1	/1
Phase finale	■ Je termine le mouvement devant mon corps, la tête de ma raquette à la hauteur de ma poitrine. Le poids de mon corps repose principalement sur ma jambe non dominante.	/1	/1	/1
	TOTAL EXÉCUTION TECHNIQUE	/10	/10	/10
	+ PRÉCISION : /3 (près de la ligne de service court) TRAJECTOIRE : /2 (moins de 30 cm au-dessus du filet) Si vous êtes incapable de synchroniser le geste avec la chute du volant, attribuez-vous une note de 0.	/5	/5	/5
	TOTAL EFFICACITÉ GLOBALE	/15	/15	/15

Erreurs à éviter :

- Placer la tête de la raquette près de sa jambe dominante.
- Commencer le mouvement trop rapidement et ne pas laisser le temps au volant de chuter vers le sol.
- Placer le volant à côté de soi ou trop en avant de soi.

- Garder le talon du pied dominant (arrière) cloué au sol lors de l'exécution.
- Envoyer le volant dans le filet ou trop en hauteur, donner une mauvaise inclinaison à la raquette.
- Avoir les pieds parallèles ou placer la jambe dominante à l'avant.

GRILLE 3 L'autoévaluation du service long

Éléments techniques		Mi-session	Fin de session	Évaluation par un pair
Phase préparatoire	■ Je fais pointer mon pied non dominant en direction de l'envoi; je place mon pied dominant en arrière, de manière à ce que mes pieds forment un angle de 45 degrés. Je tiens le volant à la hauteur de ma poitrine, devant mon corps.	/1	/1	/1
	■ Je place mon épaule non dominante face au filet.	/1	/1	/1
	■ J'amène mon coude dominant vers l'arrière et je relève la tête de ma raquette à la hauteur des oreilles, l'avant-bras en pronation et le poignet en extension et en déviation radiale.	/1	/1	/1
Phase d'exécution	■ Je laisse chuter le volant devant moi, légèrement de mon côté dominant, puis j'amorce un transfert de poids de ma jambe dominante à ma jambe non dominante.	/1	/1	/1
	■ J'effectue une rotation de mes épaules et de mes hanches. Au même moment, j'amène en extension mon bras dominant derrière mon corps, la tête de ma raquette amorçant une boucle.	/1	/1	/1
	■ J'amorce un mouvement de balancier de mon bras dominant, vers l'avant et de bas en haut, commençant derrière le corps, en avançant d'abord mon coude dominant.	/1	/1	/1
	■ Juste avant le contact avec le volant, j'effectue une pronation explosive de mon avant-bras.	/2	/2	/2
	■ Je frappe le volant devant mon corps, légèrement au-dessus de la hauteur de mes genoux.	/1	/1	/1
Phase finale	■ Je termine le mouvement en ramenant la raquette au-dessus de mon épaule non dominante, le bras en flexion. Le poids de mon corps repose principalement sur ma jambe non dominante.	/1	/1	/1
	TOTAL EXÉCUTION TECHNIQUE	/10	/10	/10
	+ PRÉCISION: /3 (dans le corridor de fond) TRAJECTOIRE: /2 (très haute, chute verticale) Si vous êtes incapable de synchroniser le geste avec la chute du volant, attribuez-vous une note de 0.	/5	/5	/5
	TOTAL EFFICACITÉ GLOBALE	/15	/15	/15

Erreurs à éviter:

- Placer la tête de la raquette près de sa jambe dominante.
- Commencer le mouvement trop rapidement et ne pas laisser le temps au volant de chuter vers le sol.
- Placer le volant à côté de soi ou trop en avant de soi.

- Garder le talon du pied dominant (arrière) cloué au sol lors de l'exécution.
- Envoyer le volant dans le filet ou trop en hauteur, donner une mauvaise inclinaison à la raquette.
- Avoir les pieds parallèles ou placer la jambe dominante à l'avant.

GRILLE 4   L'autoévaluation du service court asiatique

Éléments techniques		Mi-session	Fin de session	Évaluation par un pair
Phase préparatoire	■ J'écarte les pieds à la largeur de mes épaules, le pied dominant est un peu plus avancé (les pieds forment un angle d'environ 45 degrés). Je répartis mon poids sur mes deux pieds.	/1	/1	/1
	■ Je place mes épaules et mes hanches face à la cible.	/1	/1	/1
	■ Je relève mon coude dominant à la hauteur de l'épaule en orientant la raquette vers le sol. La tête de ma raquette est vis-à-vis de ma hanche non dominante.	/1	/1	/1
	■ Je tiens le volant devant moi (par l'empennage, entre le pouce et l'index) à la hauteur de ma taille.	/1	/1	/1
Phase d'exécution	■ Je procède simultanément à une légère extension de mon bras dominant vers l'avant ainsi qu'à une supination de mon avant-bras.	/2	/2	/2
	■ Je frappe le volant à la hauteur de ma taille. Lors du contact avec le volant, la tête de ma raquette n'est que très légèrement inclinée vers l'arrière.	/2	/2	/2
Phase finale	■ Je termine le mouvement devant mon corps, la tête de ma raquette à la hauteur de ma poitrine.	/2	/2	/2
	TOTAL EXÉCUTION TECHNIQUE	/10	/10	/10
	+ PRÉCISION : /3 (près de la ligne de service court) TRAJECTOIRE : /2 (moins de 30 cm au-dessus du filet) Si vous êtes incapable de synchroniser le geste avec la chute du volant, attribuez-vous une note de 0.	/5	/5	/5
	TOTAL EFFICACITÉ GLOBALE	/15	/15	/15

Erreurs à éviter :
- Placer le pied non dominant plus en avant que le pied dominant.
- Lancer le volant avant de le frapper.
- Placer le volant trop près de soi ou trop en avant de soi.
- Tenir le volant plus haut que la hauteur du nombril.
- Envoyer le volant dans le filet ou trop en hauteur, donner une mauvaise inclinaison à la raquette.

GRILLE 5   L'autoévaluation du dégagé

Éléments techniques		Mi-session	Fin de session	Évaluation par un pair
Phase préparatoire	■ J'utilise la prise de raquette universelle.			
	■ Je me déplace rapidement et je termine mon déplacement en effectuant un blocage, mon pied dominant en arrière, parallèlement à la ligne de fond.	/1	/1	/1
	■ Je place mes épaules et mes hanches perpendiculairement au filet. Mon épaule dominante est légèrement inclinée vers l'arrière. Je pointe le volant avec mon bras non dominant.	/1	/1	/1
	■ Je lève mon coude dominant à la hauteur de mon épaule et je l'amène vers l'arrière. (Mon bras est fléchi, mon avant-bras est en supination, l'angle au niveau de mon coude est d'environ 45 degrés.)	/1	/1	/1
Phase d'exécution	■ J'amorce le geste par une flexion de la jambe dominante suivie d'une poussée vers le haut. Ensuite, je fais pivoter mes hanches et mes épaules vers l'avant. Au même moment, j'élève mon coude et j'amène mon épaule dominante vers l'arrière.	/1	/1	/1
	■ J'effectue une rotation du tronc et des épaules. J'amène mon bras non dominant vers l'arrière.	/1	/1	/1
	■ Je fais une extension de mon bras dominant en avançant d'abord le coude. J'enchaîne avec une pronation rapide de mon avant-bras juste avant de faire contact avec le volant.	/2	/2	/2
	■ Je fais contact avec le volant le plus haut possible au-dessus de mon épaule dominante et légèrement à l'extérieur de celle-ci. J'incline la tête de ma raquette vers l'arrière selon un angle plus ou moins prononcé.	/2	/2	/2
Phase finale	■ Je termine le mouvement en ramenant la tête de ma raquette vers ma hanche non dominante. (Il est possible, après l'impact, de retrouver son équilibre en avançant la jambe dominante.)	/1	/1	/1
	TOTAL EXÉCUTION TECHNIQUE	/10	/10	/10
	+ PRÉCISION: /3 (dans le corridor de fond) TRAJECTOIRE: /2 (très haute) Si vous êtes incapable de synchroniser le geste avec la chute du volant, attribuez-vous une note de 0.	/5	/5	/5
	TOTAL EFFICACITÉ GLOBALE	/15	/15	/15

Erreurs à éviter :

- Avoir les pieds parallèles au moment d'entreprendre le mouvement.
- Garder le talon du pied dominant (arrière) cloué au sol lors de l'exécution.
- Trop laisser descendre le volant avant de le frapper.
- Ne pas faire de pronation de l'avant-bras au moment de frapper le volant.
- Frapper le volant alors que le bras est fléchi.
- Bloquer le mouvement après le coup ou le terminer du mauvais côté.
- Effectuer un mouvement sollicitant seulement le bras dominant ou le haut du corps.

GRILLE 6   L'autoévaluation de l'amorti

Éléments techniques		Mi-session	Fin de session	Évaluation par un pair
Phase préparatoire	▪ J'utilise la prise de raquette universelle.			
	▪ Je me déplace rapidement et je termine mon déplacement en effectuant un blocage, mon pied dominant en arrière, parallèlement à la ligne de fond.	/1	/1	/1
	▪ Je place mes épaules et mes hanches perpendiculairement au filet. Mon épaule dominante est légèrement inclinée vers l'arrière. Je pointe le volant avec mon bras non dominant.	/1	/1	/1
	▪ Je lève mon coude dominant à la hauteur de mon épaule et je l'amène vers l'arrière. (Mon bras est fléchi, mon avant-bras est en supination, l'angle au niveau de mon coude est d'environ 45 degrés.)	/1	/1	/1
Phase d'exécution	▪ J'amorce le geste par une flexion de la jambe dominante suivie d'une poussée vers le haut. Ensuite, je fais pivoter mes hanches et mes épaules vers l'avant. Au même moment, j'élève mon coude et j'amène mon épaule dominante vers l'arrière.	/1	/1	/1
	▪ J'effectue une rotation du tronc et des épaules. J'amène mon bras non dominant vers l'arrière.	/1	/1	/1
	▪ Je fais une extension de mon bras dominant en avançant d'abord le coude. J'enchaîne avec une pronation de mon avant-bras, que je ralentis juste avant de faire contact avec le volant.	/2	/2	/2
	▪ Je fais contact avec le volant à une hauteur optimale alors qu'il est devant moi et vis-à-vis de mon épaule dominante. J'incline la tête de ma raquette vers l'avant selon un angle plus ou moins prononcé afin d'obtenir une trajectoire descendante.	/2	/2	/2
Phase finale	▪ Je termine le mouvement en ramenant la tête de ma raquette vers ma hanche non dominante. (Il est possible, après l'impact, de retrouver son équilibre en avançant la jambe dominante.)	/1	/1	/1
	TOTAL EXÉCUTION TECHNIQUE	/10	/10	/10
	+ PRÉCISION: /3 (près des lignes de côté en zone avant) TRAJECTOIRE: /2 (descendante, maximum 30 cm au-dessus du filet) Si vous êtes incapable de synchroniser le geste avec la chute du volant, attribuez-vous une note de 0.	/5	/5	/5
	TOTAL EFFICACITÉ GLOBALE	/15	/15	/15

Erreurs à éviter:

- Avoir les pieds parallèles lors de la phase préparatoire.
- Garder le talon du pied dominant (arrière) cloué au sol lors de l'exécution.
- Effectuer un mouvement sollicitant seulement le bras dominant ou le haut du corps.
- Trop laisser descendre le volant avant de le frapper.

- Avoir constamment la tête de sa raquette face au filet (ne pas faire de pronation de l'avant-bras).
- Frapper le volant alors que le bras est fléchi.
- Donner une mauvaise inclinaison à la raquette (de sorte que le volant est envoyé dans le filet ou trop en hauteur).

GRILLE 7   L'autoévaluation du smash

Éléments techniques		Mi-session	Fin de session	Évaluation par un pair
Phase préparatoire	■ Je me déplace rapidement et je termine mon déplacement en effectuant un blocage, mon pied dominant en arrière, parallèlement à la ligne de fond.	/1	/1	/1
	■ Je place mes épaules et mes hanches perpendiculairement au filet. Mon épaule dominante est légèrement inclinée vers l'arrière. Je pointe le volant avec mon bras non dominant.	/1	/1	/1
	■ Je lève mon coude dominant à la hauteur de mon épaule et je l'amène vers l'arrière. (Mon bras est fléchi, mon avant-bras est en supination, l'angle au niveau de mon coude est d'environ 45 degrés.)	/1	/1	/1
Phase d'exécution	■ J'amorce le geste par une flexion de la jambe dominante suivie d'une poussée vers le haut. Ensuite, je fais pivoter mes hanches et mes épaules vers l'avant. Au même moment, j'élève mon coude et j'amène mon épaule dominante vers l'arrière.	/2	/2	/2
	■ J'effectue une rotation du tronc et des épaules. J'amène mon bras non dominant vers l'arrière.	/1	/1	/1
	■ Je fais une extension de mon bras dominant en avançant d'abord le coude. J'enchaîne avec une pronation rapide de mon avant-bras juste avant de faire contact avec le volant.	/2	/2	/2
	■ Je fais contact avec le volant à une hauteur optimale alors qu'il est devant moi et vis-à-vis de mon épaule dominante. J'incline la tête de ma raquette vers l'avant selon un angle plus ou moins prononcé afin d'obtenir une trajectoire descendante.	/1	/1	/1
Phase finale	■ Je termine le mouvement en ramenant la tête de ma raquette vers ma hanche non dominante. (Il est possible, après l'impact, de retrouver son équilibre en avançant la jambe dominante.)	/1	/1	/1
TOTAL EXÉCUTION TECHNIQUE		/10	/10	/10
+ PRÉCISION: /3 (près des lignes de côté) TRAJECTOIRE: /2 (descendante et puissante) Si vous êtes incapable de synchroniser le geste avec la chute du volant, attribuez-vous une note de 0.		/5	/5	/5
TOTAL EFFICACITÉ GLOBALE		/15	/15	/15

Erreurs à éviter:

- Avoir les pieds parallèles pendant la phase préparatoire.
- Garder le talon du pied dominant (arrière) cloué au sol lors de l'exécution.
- Avoir constamment la tête de sa raquette face au filet (ne pas faire de pronation de l'avant-bras).
- Trop laisser descendre le volant avant de le frapper.
- Ne pas frapper le volant alors qu'il est suffisamment devant soi.
- Frapper le volant alors que le bras est fléchi.
- Effectuer un mouvement sollicitant seulement le bras dominant ou le haut du corps.

GRILLE 8   L'autoévaluation du dégagé du revers et de l'amorti du revers

Éléments techniques		Mi-session	Fin de session	Évaluation par un pair
Phase préparatoire	■ J'utilise la prise de raquette de revers.			
	■ Je me déplace rapidement en faisant dos au filet et j'oriente mon épaule dominante vers le coin arrière. J'oriente le pied dominant vers la ligne de fond (il ne touche pas encore au sol).	/1	/1	/1
	■ Le poids de mon corps est supporté par ma jambe non dominante. J'incline légèrement le tronc vers l'avant.	/1	/1	/1
	■ Je place le coude près de mon corps. La tête de ma raquette se situe à la hauteur de mon visage.	/1	/1	/1
Phase d'exécution	■ Je commence le geste par une poussée verticale et légèrement horizontale. Au même moment, j'effectue une élévation du coude. (La tête de ma raquette pointe vers le sol et mon avant-bras est en pronation.)	/1	/1	/1
	■ J'effectue une extension légèrement incomplète de mon bras dominant vers le haut, provoquant du même coup une extension de tout le corps.	/2	/2	/2
	■ J'enchaîne avec une supination vive de mon avant-bras juste avant de frapper le volant. Lors d'un amorti du revers, je ralentis la supination de l'avant-bras juste avant de faire contact avec le volant.	/2	/2	/2
	■ Je frappe le volant devant mon corps à une hauteur optimale (entre le joueur et la ligne de fond) du côté de mon épaule dominante, ma raquette inclinée vers l'arrière du terrain dans le cas du dégagé et vers l'avant s'il s'agit d'un amorti. (À noter que la jambe dominante touche le sol au moment où il y a contact avec le volant ou légèrement après.)	/1	/1	/1
Phase finale	■ Je bloque mon geste immédiatement après l'impact. J'effectue un pivot sur mon pied non dominant pour revenir en position centrale.	/1	/1	/1
	TOTAL EXÉCUTION TECHNIQUE	/10	/10	/10
	PRÉCISION: /3 (dégagé: corridor de fond) (amorti: près des lignes de côté en zone avant) + TRAJECTOIRE: /2 (dégagé : très haute) (amorti : descendante, maximum 30 cm au-dessus du filet) Si vous êtes incapable de synchroniser le geste avec la chute du volant, attribuez-vous une note de 0.	/5	/5	/5
	TOTAL EFFICACITÉ GLOBALE	/15	/15	/15

Erreurs à éviter :

- Perdre le volant de vue.
- Ne pas faire de supination de l'avant-bras au moment de frapper le volant.
- Effectuer une extension complète du bras (risque de blessure).
- Ne pas utiliser la bonne prise de raquette.
- Frapper le volant alors que le bras est fléchi.
- Trop laisser descendre le volant avant de le frapper.

GRILLE 9   L'autoévaluation du drive du coup droit et du revers

Éléments techniques		Mi-session	Fin de session	Évaluation par un pair
Phase préparatoire	■ En coup droit, j'utilise la prise universelle. ■ En revers, j'utilise la prise de revers.			
	■ J'effectue une fente avant ou une fente latérale à l'aide de la jambe dominante, en posant d'abord le talon au sol.	/1	/1	/1
	■ En coup droit, j'amène la raquette sur le côté du corps, le bras en flexion et l'avant-bras en supination. ■ En revers, j'amène la raquette du côté non dominant, le bras en flexion et l'avant-bras en pronation.	/2	/2	/2
Phase d'exécution	■ À la suite de la fente de la jambe dominante, je fléchis légèrement la jambe non dominante pour permettre au pied de glisser de côté sur le sol afin d'accroître la stabilité.	/1	/1	/1
	■ J'exécute une légère rotation des épaules.	/1	/1	/1
	■ J'effectue une légère extension du bras dominant en avançant d'abord mon coude en direction du filet. ■ J'enchaîne avec une pronation rapide de mon avant-bras en coup droit ou d'une supination de mon avant-bras en revers.	/2	/2	/2
	■ Je frappe le volant alors qu'il est à son plus haut, qu'il soit devant moi ou à côté de moi.	/1	/1	/1
Phase finale	■ En coup droit, je termine le mouvement du côté opposé, vis-à-vis de l'épaule non dominante, le bras fléchi. ■ En revers, je termine le mouvement du côté opposé, vis-à-vis de l'épaule dominante, le bras fléchi.	/2	/2	/2
TOTAL EXÉCUTION TECHNIQUE		/10	/10	/10
+	PRÉCISION: /3 (en zone arrière, près des lignes de côté) TRAJECTOIRE: /2 (rapide, basse et tendue) Si vous êtes incapable de synchroniser le geste avec la chute du volant, attribuez-vous une note de 0.	/5	/5	/5
TOTAL EFFICACITÉ GLOBALE		/15	/15	/15

Erreurs à éviter:
- Effectuer une extension complète du bras.
- Ne pas faire de pronation ou de supination de l'avant-bras.
- Trop laisser descendre le volant avant de le frapper.
- Garder les épaules parallèles au filet.
- Ne pas effectuer de rotation des épaules et utiliser seulement le bras.

GRILLE 10 L'autoévaluation de l'attaque au filet du coup droit et du revers

Éléments techniques		Mi-session	Fin de session	Évaluation par un pair
Phase préparatoire	■ Je tiens ma raquette à la hauteur de ma tête, devant moi, le bras légèrement fléchi. Je bondis vers le volant en amenant mes épaules de profil par rapport au filet tout en élevant mon bras non dominant derrière mon corps.	/1	/1	/1
	■ Je freine l'élan de mon corps vers l'avant à l'aide d'une fente avant de ma jambe dominante en posant d'abord mon talon au sol.	/2	/2	/2
Phase d'exécution	■ Après l'exécution de la fente de la jambe dominante, je fléchis légèrement ma jambe non dominante pour permettre au pied de glisser de côté sur le sol afin d'accroître la stabilité.	/1	/1	/1
	■ En coup droit, j'effectue une extension de mon bras dominant et j'enchaîne avec une pronation vive de mon avant-bras. ■ En revers, j'effectue une extension de mon bras dominant et j'enchaîne avec une supination vive de mon avant-bras ou une flexion latérale du poignet.	/2	/2	/2
	■ Je joue le volant le plus haut possible devant mon corps en inclinant la tête de ma raquette de façon marquée.	/2	/2	/2
Phase finale	■ Je termine le geste en effectuant un mouvement de balayage de côté ramenant la raquette à l'épaule non dominante en coup droit ou du côté de l'épaule dominante en revers, en fléchissant le bras.	/2	/2	/2
	TOTAL EXÉCUTION TECHNIQUE	/10	/10	/10
	+ PRÉCISION : /3 (en zone centrale) TRAJECTOIRE : /2 (rapide et en piqué) Si vous êtes incapable de synchroniser le geste avec la chute du volant, attribuez-vous une note de 0.	/5	/5	/5
	TOTAL EFFICACITÉ GLOBALE	/15	/15	/15

Erreurs à éviter :
- Avoir la raquette basse.
- Effectuer la fente avant avec la mauvaise jambe, c'est-à-dire la jambe non dominante.
- Trop laisser descendre le volant avant de le frapper, ne pas aller à sa rencontre.
- Faire un mouvement en direction du filet lorsque le volant est tout près du filet au lieu de faire un mouvement de côté.

GRILLE 11 L'autoévaluation du coup au filet du coup droit et du revers

Éléments techniques			Mi-session	Fin de session	Évaluation par un pair
Phase préparatoire		■ Je tiens ma raquette devant moi, à la hauteur de la poitrine. Mon bras est légèrement fléchi.	/1	/1	/1
		■ Je bondis vers le volant, puis je freine l'élan de mon corps vers l'avant à l'aide d'une fente avant de ma jambe dominante en posant d'abord mon talon au sol. Je garde le tronc droit et j'élève mon bras non dominant derrière mon corps.	/2	/2	/2
Phase d'exécution		■ Après l'exécution de la fente de la jambe dominante, je fléchis légèrement ma jambe non dominante pour permettre au pied de glisser de côté sur le sol afin d'accroître la stabilité.	/1	/1	/1
		■ J'effectue une légère extension de mon bras dominant dans un mouvement horizontal dirigé vers le filet.	/2	/2	/2
		■ Je frappe le volant alors qu'il est à son plus haut. Mon poignet est légèrement plus haut que la tête de ma raquette (idéalement).	/2	/2	/2
		■ Au moment du contact avec le volant, j'incline la tête de ma raquette vers le sol.	/1	/1	/1
Phase finale		■ J'arrête la course de ma raquette alors qu'elle est près du filet et parallèle au sol.	/1	/1	/1
	TOTAL EXÉCUTION TECHNIQUE		/10	/10	/10
	+ PRÉCISION: /3 (près du filet et des lignes de côté) TRAJECTOIRE: /2 (basse, moins de 30 cm au-dessus du filet) Si vous êtes incapable de synchroniser le geste avec la chute du volant, attribuez-vous une note de 0.		/5	/5	/5
	TOTAL EFFICACITÉ GLOBALE		/15	/15	/15

Erreurs à éviter:

- Effectuer la fente avant avec la mauvaise jambe, c'est-à-dire la jambe non dominante.
- Trop laisser descendre le volant avant de le frapper, ne pas aller à sa rencontre.
- Fléchir le tronc.
- Trop s'approcher du volant.
- Garder le pied non dominant (arrière) cloué au sol lors de l'exécution.
- Effectuer un mouvement de bas en haut et donner trop de hauteur au volant.

GRILLE 12 L'autoévaluation du lob du coup droit et du revers

Éléments techniques		Mi-session	Fin de session	Évaluation par un pair
Phase préparatoire	■ En coup droit, j'utilise la prise de raquette universelle. ■ En revers, j'utilise la prise de revers.			
	■ Je me déplace rapidement en orientant mon corps dans la direction du déplacement, puis je freine l'élan de mon corps vers l'avant à l'aide d'une fente avant de ma jambe dominante en posant d'abord mon talon au sol. Je garde le corps droit et j'élève mon bras non dominant derrière mon corps.	/1	/1	/1
	■ En coup droit, j'amène la raquette vers l'arrière, le bras en légère flexion et l'avant-bras en pronation. ■ En revers, j'amène la raquette vers l'arrière, le bras en légère flexion et l'avant-bras en position neutre.	/1	/1	/1
Phase d'exécution	■ Après l'exécution de la fente de la jambe dominante, je fléchis légèrement ma jambe non dominante pour permettre au pied de glisser de côté sur le sol afin d'accroître la stabilité.	/2	/2	/2
	■ J'amorce un mouvement de balancier de mon bras dominant, vers l'avant et de bas en haut, en commençant derrière le corps et en avançant d'abord le coude dominant, ce qui me permet de bien effectuer le mouvement de rotation de l'avant-bras.	/2	/2	/2
	■ En coup droit, j'effectue une pronation vive de mon avant-bras dominant juste avant l'impact avec le volant. ■ En revers, j'effectue une légère extension du bras dominant ainsi qu'une supination explosive de mon avant-bras juste avant l'impact avec le volant.	/2	/2	/2
	■ Je frappe le volant alors qu'il est à son plus haut (je ne le laisse pas descendre), la tête de la raquette légèrement inclinée vers l'arrière.	/1	/1	/1
Phase finale	■ En coup droit, je termine le geste avec la raquette du côté de l'épaule non dominante, l'avant-bras en pronation et le bras fléchi. ■ En revers, je termine le geste avec la raquette devant moi, l'avant-bras en supination et le bras légèrement fléchi.	/1	/1	/1
	TOTAL EXÉCUTION TECHNIQUE	/10	/10	/10
	+ PRÉCISION: /3 (dans le corridor de fond) TRAJECTOIRE: /2 (haute et profonde) Si vous êtes incapable de synchroniser le geste avec la chute du volant, attribuez-vous une note de 0.	/5	/5	/5
	TOTAL EFFICACITÉ GLOBALE	/15	/15	/15

Erreurs à éviter:

- Effectuer la fente avant avec la mauvaise jambe, c'est-à-dire la jambe non dominante.
- Trop laisser descendre le volant avant de le frapper, ne pas aller à sa rencontre.
- En coup droit, ne pas faire de pronation de l'avant-bras au moment de frapper le volant.
- En revers, ne pas faire de supination de l'avant-bras au moment de frapper le volant.
- Frapper les volants dirigés sur son corps en coup droit.
- Garder le pied non dominant (arrière) cloué au sol lors de l'exécution.

GRILLE 13 — L'autoévaluation du retour de smash du coup droit et du revers (retour profond)

Éléments techniques		Mi-session	Fin de session	Évaluation par un pair
Phase préparatoire	▪ En coup droit, j'utilise la prise de raquette universelle. ▪ En revers, j'utilise la prise de revers.			
	▪ J'adopte une posture de base démontrant une attitude très alerte. Je tiens ma raquette devant mon corps, à la hauteur de l'abdomen, le coude dégagé du corps.	/1	/1	/1
	▪ J'amène rapidement mon corps et ma raquette du côté du coup à jouer, le bras en légère flexion et l'avant-bras en pronation (en revers) ou en position neutre (en coup droit).	/1	/1	/1
Phase d'exécution	▪ J'effectue un pas d'ajustement afin de bien me positionner par rapport au volant. En revers, j'effectue si possible une légère fente avant de la jambe dominante ou une légère fente latérale de la jambe non dominante. En coup droit, j'effectue une légère fente latérale de la jambe dominante.	/2	/2	/2
	▪ J'amorce un mouvement de balancier de mon bras dominant, vers l'avant et de bas en haut, en avançant d'abord le coude dominant, ce qui me permet de bien effectuer le mouvement de rotation de l'avant-bras.	/2	/2	/2
	▪ En coup droit, j'effectue une pronation vive de mon avant-bras dominant juste avant l'impact avec le volant. ▪ En revers, j'effectue une légère extension du bras dominant ainsi qu'une supination explosive de mon avant-bras juste avant l'impact avec le volant.	/2	/2	/2
	▪ Je joue le volant devant moi alors qu'il est à son plus haut, la tête de la raquette légèrement inclinée vers l'arrière.	/1	/1	/1
Phase finale	▪ En coup droit, je termine le geste avec la raquette du côté de l'épaule non dominante, l'avant-bras en pronation et le bras fléchi. ▪ En revers, je termine le geste avec la raquette devant moi, l'avant-bras en supination et le bras légèrement fléchi.	/1	/1	/1
	TOTAL EXÉCUTION TECHNIQUE	/10	/10	/10
	+ PRÉCISION : /3 (dans le corridor de fond) TRAJECTOIRE : /2 (rapide et profonde) Si vous êtes incapable de synchroniser le geste avec la chute du volant, attribuez-vous une note de 0.	/5	/5	/5
	TOTAL EFFICACITÉ GLOBALE	/15	/15	/15

Erreurs à éviter :
- Garder les deux pieds cloués au sol.
- En coup droit, ne pas faire de pronation de l'avant-bras au moment de frapper le volant.
- En revers, ne pas faire de supination de l'avant-bras au moment de frapper le volant.
- Frapper les volants dirigés sur son corps en coup droit.
- Tenir la raquette sur l'un des côtés du corps, très basse ou très haute.

GRILLE 14   L'autoévaluation des déplacements vers l'avant

Éléments techniques	Mi-session	Fin de session	Évaluation par un pair
Phase préparatoire — ■ J'adopte une posture de base dynamique, mes pieds sont parallèles et écartés à la largeur de mes épaules ou un peu plus. Mon poids repose sur la plante de mes pieds, mes genoux sont légèrement fléchis, mes épaules font face au filet et je tiens ma raquette à la hauteur de l'abdomen.	/2	/2	/2
■ J'effectue un saut d'allègement pour favoriser une reprise d'appuis dynamiques.	/1	/1	/1
Phase d'exécution — ■ J'utilise une série de pas me permettant de me déplacer rapidement afin d'atteindre le volant alors qu'il est à une hauteur optimale (courus, chassés, croisés…).	/2	/2	/2
■ J'évite de faire varier la hauteur de mon bassin lors du déplacement. Je garde la tête haute et le tronc droit.	/1	/1	/1
■ J'oriente tout mon corps en direction du déplacement à effectuer, y compris les épaules.	/1	/1	/1
■ J'effectue un blocage en réalisant une grande fente avant avec la jambe dominante. Je dépose d'abord le talon au sol et pointe le pied dans l'axe du déplacement (en coup droit comme du revers). Je garde le tronc droit.	/2	/2	/2
Phase finale — ■ En exécutant la fente avant, je fléchis légèrement la jambe non dominante et je fais glisser le pied non dominant de côté afin d'accroître la stabilité et la fluidité de mon déplacement.	/1	/1	/1
TOTAL EXÉCUTION TECHNIQUE	/10	/10	/10
+ RAPIDITÉ: /3 STABILITÉ: /2	/5	/5	/5
TOTAL EFFICACITÉ GLOBALE	/15	/15	/15

Erreurs à éviter :

- Adopter une posture de base droite et statique.
- Effectuer le blocage (fente avant) avec la jambe non dominante.
- Garder le talon du pied non dominant cloué au sol lors de la fente avant.
- Fléchir le tronc vers l'avant de façon marquée lors de la fente.
- Tenter de frapper le volant alors que le pied dominant n'est pas encore au sol.
- Effectuer une fente de très petite ou de très grande amplitude.
- S'approcher trop près du filet inutilement, ce qui a pour effet d'accroître la longueur du déplacement suivant.

GRILLE 15 L'autoévaluation des déplacements latéraux

Éléments techniques	Mi-session	Fin de session	Évaluation par un pair
Phase préparatoire ■ J'adopte une posture de base dynamique, mes pieds sont parallèles et écartés à la largeur de mes épaules ou un peu plus. Mon poids repose sur la plante de mes pieds, mes genoux sont légèrement fléchis, mes épaules font face au filet et je tiens ma raquette à la hauteur de l'abdomen.	/2	/2	/2
■ J'effectue un saut d'allègement pour favoriser une reprise d'appuis dynamiques.	/1	/1	/1
Phase d'exécution ■ J'utilise une série de pas me permettant de me déplacer rapidement afin d'atteindre le volant alors qu'il est à une hauteur optimale (courus, chassés, croisés…).	/2	/2	/2
■ J'évite de faire varier la hauteur de mon bassin lors du déplacement. Je garde la tête haute et le tronc droit.	/1	/1	/1
■ J'oriente tout mon corps en direction du déplacement à effectuer, y compris les épaules.	/1	/1	/1
■ J'effectue un blocage en réalisant une grande fente latérale avec la jambe dominante. Je dépose d'abord le talon au sol et pointe le pied dans l'axe du déplacement (en coup droit comme du revers). Je garde le tronc droit.	/2	/2	/2
Phase finale ■ En exécutant la fente latérale, je fléchis légèrement la jambe non dominante et je fais glisser le pied non dominant de côté afin d'accroître la stabilité et la fluidité de mon déplacement.	/1	/1	/1
TOTAL EXÉCUTION TECHNIQUE	/10	/10	/10
+ RAPIDITÉ : /3 STABILITÉ : /2	/5	/5	/5
TOTAL EFFICACITÉ GLOBALE	/15	/15	/15

Erreurs à éviter :
- Adopter une posture de base droite et statique.
- Effectuer le blocage (fente latérale) avec la jambe non dominante – exception faite des retours de smashs côté revers.
- Garder le talon du pied non dominant cloué au sol lors de la fente latérale.
- Effectuer le blocage avec le pied dominant parallèle à la ligne de côté plutôt que perpendiculaire (risque de blessure).
- Effectuer une fente de très petite ou de très grande amplitude.
- Tenter de frapper le volant alors que le pied dominant n'est pas encore au sol.

GRILLE 10 L'autoévaluation des déplacements vers l'arrière permettant de frapper en coup droit

Éléments techniques	Mi-session	Fin de session	Évaluation par un pair
Phase préparatoire — J'adopte une posture de base dynamique, mes pieds sont parallèles et écartés à la largeur de mes épaules ou un peu plus. Mon poids repose sur la plante de mes pieds, mes genoux sont légèrement fléchis, mes épaules font face au filet et je tiens ma raquette à la hauteur de l'abdomen.	/2	/2	/2
J'effectue un saut d'allègement pour favoriser une reprise d'appuis dynamiques.	/1	/1	/1
Phase d'exécution — J'utilise une série de pas me permettant de me déplacer rapidement afin d'atteindre le volant alors qu'il est à une hauteur optimale (chassés ou croisés).	/2	/2	/2
J'évite de faire varier la hauteur de mon bassin lors du déplacement. Je garde la tête haute et le tronc droit.	/1	/1	/1
J'oriente tout mon corps en direction du déplacement à effectuer, y compris les épaules, qui doivent être perpendiculaires au filet.	/1	/1	/1
J'effectue un blocage avec la jambe dominante en déposant d'abord la plante du pied au sol, parallèlement à la ligne de fond. Ensuite, je fléchis la jambe dominante afin de freiner l'élan de mon corps vers l'arrière.	/2	/2	/2
Phase finale — Lors du blocage, je laisse glisser le pied non dominant sur la pointe afin d'accroître la stabilité et la fluidité du déplacement et j'incline légèrement le tronc vers l'arrière.	/1	/1	/1
TOTAL EXÉCUTION TECHNIQUE	/10	/10	/10
+ RAPIDITÉ : /3 STABILITÉ : /2	/5	/5	/5
TOTAL EFFICACITÉ GLOBALE	/15	/15	/15

Erreurs à éviter :

- Adopter une posture de base droite et statique.
- Réagir à retardement avant d'amorcer le déplacement.
- Utiliser des pas courus à reculons pour se diriger vers l'arrière.
- Reculer en ayant toujours les épaules face au filet.
- Garder le talon du pied dominant cloué au sol lors de la poussée de la jambe.
- Tenter de frapper le volant alors que le pied dominant n'est pas encore au sol.

GRILLE 17 L'autoévaluation des déplacements vers l'arrière contraignant à frapper du revers

Éléments techniques	Mi-session	Fin de session	Évaluation par un pair
Phase préparatoire ■ J'adopte une posture de base dynamique, mes pieds sont parallèles et écartés à la largeur de mes épaules ou un peu plus. Mon poids repose sur la plante de mes pieds, mes genoux sont légèrement fléchis, mes épaules font face au filet et je tiens ma raquette à la hauteur de l'abdomen.	/2	/2	/2
■ J'effectue un saut d'allègement pour favoriser une reprise d'appuis dynamiques.	/1	/1	/1
■ J'exécute un pivot sur le pied non dominant et me retrouve ainsi dos au filet.	/1	/1	/1
Phase d'exécution ■ J'utilise une série de pas courus me permettant de me déplacer rapidement afin d'atteindre le volant alors qu'il est à une hauteur optimale.	/2	/2	/2
■ J'évite de faire varier la hauteur de mon bassin lors du déplacement. Je garde la tête haute et le tronc droit.	/1	/1	/1
■ J'oriente tout mon corps en direction du déplacement à effectuer. Je me retrouve ainsi dos au filet, l'épaule dominante dirigée vers le coin arrière du terrain.	/1	/1	/1
■ J'effectue un blocage avec la jambe dominante (après la frappe) en déposant d'abord la plante du pied au sol et en plaçant le pied dans l'axe du déplacement. Ensuite, je fléchis la jambe dominante afin de freiner l'élan de mon corps vers l'arrière.	/1	/1	/1
Phase finale ■ Lors du blocage, je laisse glisser le pied non dominant sur la pointe afin d'accroître la stabilité et la fluidité du déplacement et j'incline légèrement le tronc vers l'arrière.	/1	/1	/1
TOTAL EXÉCUTION TECHNIQUE	/10	/10	/10
+ RAPIDITÉ : /3 STABILITÉ : /2	/5	/5	/5
TOTAL EFFICACITÉ GLOBALE	/15	/15	/15

Erreurs à éviter :
- Adopter une posture de base droite et statique.
- Réagir à retardement avant d'amorcer le déplacement.
- Perdre de vue le volant.
- Effectuer le blocage avec la jambe dominante avant de faire contact avec le volant.
- Effectuer le blocage avec la jambe non dominante.

LES EXERCICES
(ÉTAPE 4)

Pour améliorer l'exécution technique de vos coups et de vos déplacements, vous devez, en tenant compte de votre niveau d'habileté, faire des exercices correspondant aux objectifs que vous vous êtes fixés. Concentrez-vous principalement sur les habiletés que vous avez choisies et travaillez-les à chaque cours.

Vous êtes appelé à expérimenter diverses séquences de coups et mises en situation, certaines imposées, d'autres à choisir. Nous en proposons ici plusieurs. Nous vous suggérons de commencer par des exercices simples afin de bien intégrer les mouvements. Si vous êtes débutant ou débutant-intermédiaire, nous vous recommandons les exercices suivants :

▶ Effectuer des mouvements sans volant ; cela permet de se concentrer sur l'exécution.

▶ Raccourcir les mouvements.

▶ Frapper des volants lancés par un partenaire ; cela aide à évaluer les trajectoires et à limiter les déplacements.

▶ Faire des déplacements sans volant.

▶ Faire des exercices qui obligent à effectuer de courts déplacements.

▶ Réduire l'espace de travail ; un demi-terrain suffit.

▶ Commencer par des séquences de coups simples ne faisant travailler qu'un ou deux coups à la fois.

Notez les séquences de coups ou les mises en situation que vous aurez expérimentées dans vos *fiches de suivi des objectifs* (chapitre 6). Si vous avez des problèmes lors de l'exécution de vos coups, consultez le *tableau 7 : Problèmes et solutions* (p. 96), qui vous permettra, nous l'espérons, de remédier à la situation. Vous pouvez aussi examiner les progressions pédagogiques qui vous sont proposées sur le Compagnon web de l'ouvrage. Il s'agit de séries d'exercices évolutifs par coups.

LES SÉQUENCES DE COUPS

Les séquences de coups sont des exercices de simulation répétitifs permettant d'acquérir et de préciser les mouvements. Les coups et l'ordre dans lequel on doit les exécuter sont généralement prédéterminés. Vous pouvez travailler n'importe quel geste : il vous suffit de choisir la bonne séquence. Vous pouvez ainsi préciser des enchaînements d'actions et des coups qui surviennent normalement en situation réelle de jeu. Pendant l'exécution de ce type d'exercices, vous devez vous concentrer pour bien exécuter les gestes et les déplacements.

Vous pouvez utiliser diverses séquences pour améliorer un même coup, et même en inventer. Pour ce faire, ciblez d'abord les habiletés techniques que vous souhaitez améliorer en tenant compte de votre niveau de maîtrise de celles-ci. Plus votre niveau est faible, plus la séquence doit être simple. Par la suite, il ne vous reste qu'à décider dans quel ordre vous les exécuterez. Voici quelques exemples.

Séquences de coups simples pour joueurs débutants

Vous pouvez pratiquer ces séquences de coups avec ou sans échanges continus, selon vos capacités. Vous pouvez vous approprier ces exercices et les modifier à votre aise.

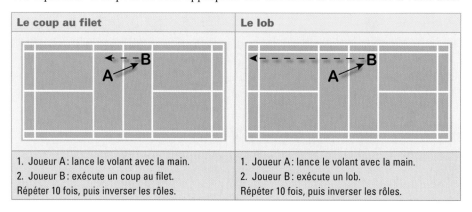

Le coup au filet	Le lob
1. Joueur A : lance le volant avec la main.	1. Joueur A : lance le volant avec la main.
2. Joueur B : exécute un coup au filet.	2. Joueur B : exécute un lob.
Répéter 10 fois, puis inverser les rôles.	Répéter 10 fois, puis inverser les rôles.

Séquences de coups simples pour joueurs de tous les niveaux

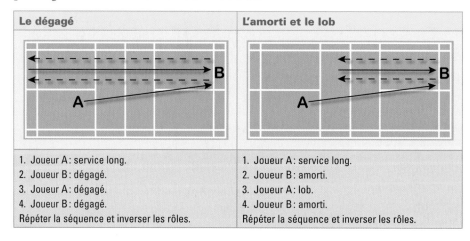

Le dégagé	L'amorti et le lob
1. Joueur A : service long.	1. Joueur A : service long.
2. Joueur B : dégagé.	2. Joueur B : amorti.
3. Joueur A : dégagé.	3. Joueur A : lob.
4. Joueur B : dégagé.	4. Joueur B : amorti.
Répéter la séquence et inverser les rôles.	Répéter la séquence et inverser les rôles.

Le drive	Le coup au filet

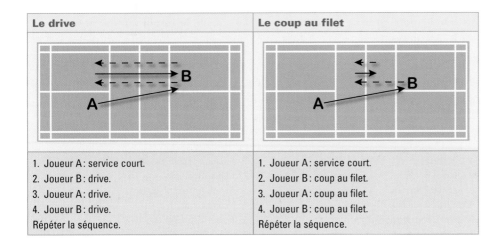

1. Joueur A: service court.	1. Joueur A: service court.
2. Joueur B: drive.	2. Joueur B: coup au filet.
3. Joueur A: drive.	3. Joueur A: coup au filet.
4. Joueur B: drive.	4. Joueur B: coup au filet.
Répéter la séquence.	Répéter la séquence.

Séquences de coups pour joueurs intermédiaires et avancés

Le smash et le retour en lob	Le dégagé, l'amorti et le coup au filet

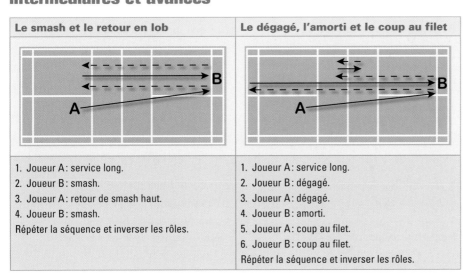

1. Joueur A: service long.	1. Joueur A: service long.
2. Joueur B: smash.	2. Joueur B: dégagé.
3. Joueur A: retour de smash haut.	3. Joueur A: dégagé.
4. Joueur B: smash.	4. Joueur B: amorti.
Répéter la séquence et inverser les rôles.	5. Joueur A: coup au filet.
	6. Joueur B: coup au filet.
	Répéter la séquence et inverser les rôles.

L'amorti, le coup au filet et le lob	Le dégagé, l'amorti et le lob

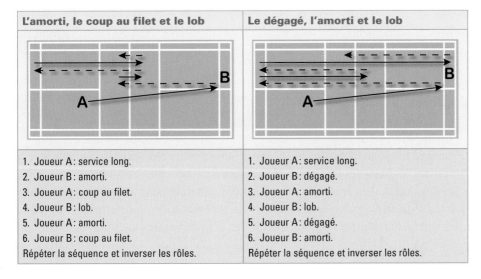

1. Joueur A: service long.	1. Joueur A: service long.
2. Joueur B: amorti.	2. Joueur B: dégagé.
3. Joueur A: coup au filet.	3. Joueur A: amorti.
4. Joueur B: lob.	4. Joueur B: lob.
5. Joueur A: amorti.	5. Joueur A: dégagé.
6. Joueur B: coup au filet.	6. Joueur B: amorti.
Répéter la séquence et inverser les rôles.	Répéter la séquence et inverser les rôles.

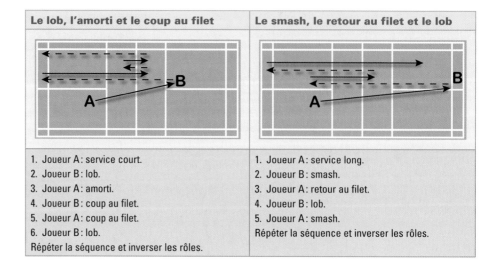

Le lob, l'amorti et le coup au filet	Le smash, le retour au filet et le lob
1. Joueur A : service court.	1. Joueur A : service long.
2. Joueur B : lob.	2. Joueur B : smash.
3. Joueur A : amorti.	3. Joueur A : retour au filet.
4. Joueur B : coup au filet.	4. Joueur B : lob.
5. Joueur A : coup au filet.	5. Joueur A : smash.
6. Joueur B : lob.	Répéter la séquence et inverser les rôles.
Répéter la séquence et inverser les rôles.	

Séquences de coups pour joueurs avancés

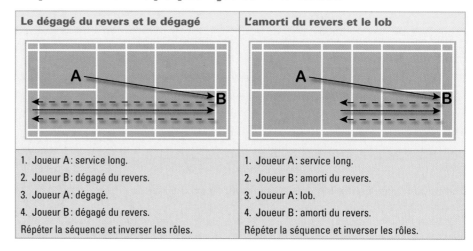

Le dégagé du revers et le dégagé	L'amorti du revers et le lob
1. Joueur A : service long.	1. Joueur A : service long.
2. Joueur B : dégagé du revers.	2. Joueur B : amorti du revers.
3. Joueur A : dégagé.	3. Joueur A : lob.
4. Joueur B : dégagé du revers.	4. Joueur B : amorti du revers.
Répéter la séquence et inverser les rôles.	Répéter la séquence et inverser les rôles.

Si vous êtes un joueur avancé, vous pouvez créer des séquences favorisant l'utilisation de coups à effets comme les amortis coupés, les smashs coupés, les amortis brossés, les smashs brossés, les coups au filet croisés, etc. Pour connaître ces coups et savoir comment les exécuter, rendez-vous sur le Compagnon web de l'ouvrage.

LES MISES EN SITUATION

Comme les séquences de coups, les mises en situation servent à acquérir et à affiner les habiletés techniques. Cependant, quelques éléments les distinguent les unes des autres. Les mises en situation sont généralement moins contraignantes que les séquences, parce que les coups ne sont pas tous prédéterminés. De plus, elles sont généralement conçues dans le but d'améliorer les tactiques de base. Les séquences de coups, quant à elles, visent essentiellement l'amélioration de la qualité technique des coups.

Les mises en situation peuvent ressembler à de vraies parties de badminton. Cependant, certains aspects du jeu y sont modifiés ou contrôlés afin de faciliter ou de compliquer la tâche des apprenants. Par exemple, en début d'apprentissage, vous pouvez jouer des matchs en simple sur un demi-terrain. Les avantages sont nombreux : limitation de la longueur des déplacements, incitation à faire des coups du côté dominant, accroissement de la durée des échanges, facilité à améliorer la précision des coups, obligation de varier les coups et d'utiliser la pleine longueur du terrain, facilité d'apprentissage des déplacements avant-arrière, participation d'un plus grand nombre de personnes, etc.

Voici des exemples de façons de contrôler ou de modifier certains aspects du jeu :

- ▶ Agrandir ou réduire l'espace de jeu pour l'un des joueurs ou pour l'ensemble des joueurs. Par exemple, jouer sur un demi-terrain ou à deux contre un.
- ▶ Restreindre l'utilisation d'un ou de plusieurs coups pour un joueur ou pour tous les joueurs. Par exemple, jouer avec interdiction de smasher pour l'un et interdiction de servir court pour l'autre.
- ▶ Obliger les joueurs à commencer l'échange en ayant recours au service long (ou au service court).
- ▶ Obliger un joueur ou tous les joueurs à terminer l'échange en utilisant un coup bien spécifique, par exemple un amorti.
- ▶ Obliger les joueurs à effectuer des déplacements spécifiques durant les échanges. Par exemple, aller toucher une cible placée au centre du terrain après chaque coup, alterner les coups à trajectoires courte et longue.
- ▶ Jouer des matchs à deux contre un.
- ▶ Restreindre les zones où les joueurs peuvent envoyer le volant. Par exemple, faire un échange qui doit se terminer par un coup dirigé dans le couloir de fond, sur le revers de l'adversaire.
- ▶ Faire des échanges en utilisant deux volants simultanément.
- ▶ Imposer des situations tactiques. Par exemple, un camp ne fait qu'attaquer et l'autre ne fait que se défendre.
- ▶ Obliger les joueurs à gagner une partie dans un temps déterminé, par exemple en moins de 10 minutes.

Le tableau de la page suivante indique, par niveau et selon les habiletés techniques et stratégiques à travailler, les numéros des mises en situation à utiliser parmi les 36 qui sont proposées. Ne perdez pas de vue les objectifs que vous vous êtes fixés. Par exemple, si votre objectif est d'améliorer l'efficacité de votre service long et que votre niveau de jeu est débutant, vous avez le choix entre les exercices 4, 5, 6, 8 et 29. Ces mises en situation ont pour but de vous aider à développer vos aptitudes en simple. Cependant, rien ne vous empêche de faire de tels exercices en double.

Habiletés	Débutant	Intermédiaire	Avancé
Relation corps-raquette-volant	1-2		
Service court	3-12-31	3-12-31	3-12-31
Service long	2-4-5-6-8-29	4-5-6-8-29	4-5-6-8-24-29
Dégagé	4-5-9-15-16-17-27-32	4-5-9-15-16-17-21-27-32	4-9-15-16-17-21-24-27-32
Amorti	4-6-9-13-14-15-16-17-27	4-6-9-13-14-15-16-17-27-29-35	4-6-9-13-14-15-16-17-24-27-29-35
Smash	13-15-19	4-10-13-15-19-22-23-26-35	4-10-13-15-19-22-23-26-35
Lob	2-3-6-9-10-15-16-17-27	3-6-9-10-15-16-17-27-35	6-9-10-15-16-17-24-27-35
Coup au filet	6-11-14-15-16-17-31	6-9-11-14-15-16-17-31	3-6-9-11-14-15-16-17-31
Drive	3-9-11-13-15	3-9-11-13-15-23-35	3-9-11-15-23-35
Attaque au filet	3-12-35	3-12-35	3-12-35
Dégagé du revers	18-20	16-17-18-20-33	16-17-18-20-24-33
Retour de smash	13-15-19-35	10-13-15-19-22-23-26-35	10-13-15-19-22-23-26-35
Déplacements vers l'avant et déplacements latéraux	6-7-8-14-16-17-36	6-7-8-14-16-17-22-23-25-28-29-33-36	6-7-8-14-16-17-22-23-24-25-28-29-33
Déplacements vers l'arrière	5-6-7-8-14-16-17-36	5-6-8-14-16-17-22-23-25-28-33-36	6-7-8-14-16-17-22-23-24-25-28-33
Retour de service (en simple)	4-6-8-32	4-6-8-29-32	4-6-8-29-32
Jeu avant-arrière	7-8-11-17-30	7-8-11-17-22-23-25-28-30-33	7-8-11-17-22-23-24-25-28-33
Jeu aux quatre coins	11-16-17-27	11-16-17-22-23-27-28-30-33	11-16-17-22-23-24-25-28-30-33
Jeu sur le revers de l'adversaire	15-16-18-20-34	15-16-17-18-20-22-23-28-34	15-16-17-18-20-22-23-24-25-28
Variation des coups	3-4-15-16-17-18-34	3-4-9-15-16-17-18-22-23-25-28-30-33	9-15-16-17-18-22-23-24-25-28-30-33
Variation du rythme du jeu	7-8-15-16-19-34	7-8-15-16-19-22-25-34	7-8-15-16-19-22-24-25-34
Retour de service (en double)	3-12-19-22-25	3-12-19-22-25	3-12-19-22-25
Attaque au centre	19	19-22	19-22-25

Légende : ■ Exercices à faire seul ou à deux   ■ Exercices à faire à deux ou plus   ■ Exercices à faire à trois ou plus

1. Relation corps-raquette-volant (avec ou sans déplacement)

▶ Faire bondir le volant sur la raquette 20 fois de suite, la paume vers le plafond.

▶ Faire bondir le volant sur la raquette 20 fois de suite, la paume vers le sol.

▶ Faire bondir le volant sur la raquette 20 fois de suite, la paume vers le plafond alternant avec la paume vers le sol.

Objectifs : prendre conscience que la raquette est le prolongement du bras ; intégrer le rapport de distance entre le corps et le volant.

2. Coups contre le mur (utiliser un vieux volant)

▶ Envoyer le volant contre le mur.

Objectifs : travailler les frappes basses ; travailler la relation entre le corps, la raquette et le volant ; favoriser la synchronisation des gestes avec différentes trajectoires.

3. Retours de service court : échanges de trois coups

▶ Tandis qu'un partenaire exécute des services courts, effectuer des retours de service permettant de prendre l'avantage. Si ces retours sont bien exécutés, le partenaire devrait être incapable d'attaquer et devrait être régulièrement contraint de relever le volant. Frapper du côté dominant le plus possible. Répéter l'exercice 10 fois, puis inverser les rôles.

Objectifs pour le serveur : améliorer l'efficacité technique et globale du service court.

Objectifs pour le receveur : accroître l'éventail de ses retours de service ainsi que leur précision.

4. Retours de service long en simple

▶ Alors qu'un partenaire exécute des services longs, effectuer des retours en visant un des quatre coins du terrain adverse à l'aide d'amortis et de dégagés offensifs et défensifs. Les amortis doivent tomber en avant de la ligne de service court, près d'une ligne de côté, et les dégagés, dans le couloir de fond. Si le joueur est incapable de dégager efficacement par manque de puissance, il peut se concentrer sur les amortis. Frapper du côté dominant le plus possible.

Objectifs pour le serveur : améliorer l'efficacité technique et globale du service long.

Objectifs pour le receveur : améliorer le geste et la précision des amortis et des dégagés.

5. Exercice de dégagés avec déplacements

▶ Effectuer des dégagés de façon continue. Après chaque coup, revenir au centre du demi-terrain, toucher un cône ou une cible quelconque avant de reculer pour aller exécuter le prochain dégagé.

Objectifs : améliorer les dégagés, les déplacements vers l'avant et vers l'arrière ainsi que le repositionnement au centre après chaque coup.

6. Déplacements vers l'avant et vers l'arrière avec deux lanceurs

▶ Joueur A : servir long.

▶ Joueur B : amortir ou dégager.

▶ Joueur C : lancer un volant avec la main, près du filet.

▶ Joueur B : exécuter un lob ou un coup au filet.

Objectifs : travailler les déplacements et les coups de base effectués de la zone arrière et de la zone avant. Même si le joueur B manque certains de ses retours, l'exercice doit se poursuivre sans interruption.

7. Matchs en simple sur un demi-terrain

▶ Jouer des matchs en simple sur un demi-terrain.

Objectifs : travailler les déplacements vers l'avant et vers l'arrière ; améliorer la précision des coups, les joueurs disposant d'une moins grande surface pour effectuer leurs retours ; favoriser les coups du côté dominant ; apprendre à utiliser toute la longueur du terrain adverse.

8. Matchs en simple sur un demi-terrain avec service long obligatoire

▶ Jouer des matchs en simple sur un demi-terrain en ayant recours uniquement à des services longs lors des mises en jeu.

Objectifs : travailler les déplacements vers l'avant et vers l'arrière ; améliorer la précision des coups, les joueurs disposant d'une moins grande surface de jeu pour effectuer leurs retours ; favoriser les coups du côté dominant ; apprendre à utiliser toute la longueur du terrain adverse ; améliorer les services longs et les retours de service (amortis et dégagés offensifs).

9. Matchs en simple sur un demi-terrain avec interdiction de smasher

▶ Jouer des matchs en simple sur un demi-terrain en s'interdisant de smasher.

Objectifs : inciter les joueurs à élargir leur éventail de coups ; varier le rythme du jeu ; développer la patience ; améliorer la précision des coups et apprendre à les utiliser en fonction d'intentions tactiques.

10. Matchs en simple sur un demi-terrain avec interdiction d'exécuter des coups au filet

▶ Jouer des matchs en simple sur un demi-terrain en s'interdisant d'exécuter des coups au filet.

Objectifs : améliorer les coups en hauteur (dégagés, amortis, smashs), les lobs et les retours de smash ; contrôler et varier la hauteur des trajectoires ; favoriser l'utilisation des amortis afin d'exploiter la zone avant.

11. Matchs en simple sur un demi-terrain avec interdiction d'exécuter des lobs

▶ Jouer des matchs en simple sur un demi-terrain en s'interdisant d'exécuter des lobs.

Objectifs : favoriser l'exploitation de la zone avant en utilisant les amortis et les coups au filet puisque l'adversaire ne peut exécuter de lobs ; améliorer les coups au filet, les placements au milieu du terrain et les drives.

12. Matchs en simple sur l'ensemble du terrain avec service court obligatoire

▷ Jouer des matchs en simple sur tout le terrain en ayant recours uniquement à des services courts lors des mises en jeu.

Objectifs : améliorer les services courts ; obliger le receveur à effectuer des retours de service qui ressemblent à ceux qu'on pratique en double (lobs offensifs, drives, placements latéraux, coups au filet).

13. Matchs en simple sur un demi-terrain ou sur l'ensemble du terrain avec interdiction de dégager

▷ Jouer des matchs en s'interdisant d'exécuter des dégagés.

Objectifs : améliorer la précision et le caractère offensif du jeu ; valoriser le recours aux amortis, aux smashs et aux drives.

14. Matchs en simple sur l'ensemble du terrain avec obligation de terminer l'échange en utilisant un amorti ou un coup au filet

▷ Jouer des matchs lors desquels, pour qu'un joueur marque un point, le volant doit absolument toucher le sol dans la zone avant du terrain (entre le filet et la ligne de service court) ou se diriger vers cette zone alors que l'adversaire commet une faute.

Objectifs : exploiter la zone avant ; affiner les amortis et les coups au filet ; améliorer la qualité et la vitesse des déplacements ; favoriser une bonne utilisation de toute la longueur du terrain.

15. Interdiction pour un joueur de smasher et pour l'autre de dégager et de lober

▷ Jouer des matchs en simple en interdisant à un joueur d'exécuter des smashs et à l'autre de faire des dégagés et des lobs.

Objectifs pour celui qui ne peut ni dégager ni lober : améliorer les amortis, les coups au filet, les drives, les smashs et les déplacements ; favoriser le jeu d'attaque et les trajectoires rapides à basse altitude.

Objectifs pour celui qui ne peut smasher : favoriser les changements de rythme ; varier les coups ; exploiter tout l'espace de jeu ; développer sa patience ; améliorer la qualité des retours de smash.

16. Matchs sur un demi-terrain ou sur l'ensemble du terrain en évitant la zone centrale

▷ Jouer des matchs lors desquels un joueur doit, pour marquer un point, mettre fin à l'échange en envoyant le volant dans le couloir de fond ou dans la partie avant du terrain (entre le filet et la ligne de service court), ou se diriger vers l'une de ces zones alors que l'adversaire commet une faute. Si le volant tombe dans la zone centrale, aucun point n'est marqué. Jouer des parties de 11 points. Faire le même exercice à deux contre un. Pour les joueurs intermédiaires et avancés, un volant qui tombe en zone centrale procure un point à l'adversaire.

Objectifs : contraindre les joueurs à effectuer des retours précis et à utiliser la pleine longueur du terrain ; développer les services longs, les dégagés, les amortis, les coups au filet, les drives et les lobs.

17. Jeu aux quatre coins

▶ Jouer des matchs lors desquels un joueur doit, pour marquer un point, mettre fin à l'échange en envoyant le volant dans l'un des quatre coins du terrain. Si le volant tombe ailleurs, aucun point n'est marqué. Jouer des parties de 11 points. Pour les joueurs intermédiaires et avancés, un volant qui tombe en zone centrale procure un point à l'adversaire.

Objectifs : effectuer des retours précis ; utiliser la pleine longueur du terrain ; acquérir et améliorer les services longs, les dégagés, les amortis, les coups au filet, les drives et les lobs.

18. Jeu sur le revers de l'adversaire

▶ Jouer des matchs sur l'ensemble du terrain lors desquels tous les coups sont permis. Pour marquer un point, cependant, l'un des deux derniers coups exécutés doit avoir été dirigé vers le revers de l'adversaire. Jouer des parties de 11 ou de 21 points.

Objectifs : exploiter le revers de l'opposant, le revers étant souvent la principale faiblesse des joueurs ; améliorer et consolider les coups du revers et les coups au-dessus de la tête ; apprendre à utiliser les coups en fonction d'intentions tactiques, en jouant sur les faiblesses de l'adversaire.

19. Matchs avec une équipe en situation d'attaque et l'autre en situation de défense

▶ Jouer des matchs, à deux contre deux ou à deux contre un, lors desquels le camp en attaque ne peut exécuter que des smashs, des demi-smashs, des dégagés offensifs, des drives, des amortis, des coups au filet et des attaques au filet, alors que le camp en défense ne peut faire que des lobs, des dégagés, des drives et des retours de smash (au filet, drives ou dégagés en hauteur et en profondeur).

Objectifs : améliorer l'attaque et la défense active ; développer les positions offensive et défensive.

20. Mouvement du dégagé du revers (sans volant)

▶ Se placer sous un panier de basket-ball. À l'aide d'une serviette, reproduire le mouvement du dégagé du revers en essayant de fouetter le panier avec la serviette. Se référer aux gestes techniques du dégagé du revers (élévation du coude, extension du bras, supination). Bien qu'on ne soit pas obligé de faire cet exercice sous un panier, il y est facile de visualiser la hauteur du point de contact avec le volant, de même que de saisir l'importance de le frapper sur le côté du corps.

Objectif : améliorer la qualité du mouvement du dégagé du revers.

21. Échanges avec deux volants

▶ Faire des échanges en utilisant deux volants simultanément. Tous les coups doivent être frappés au-dessus de la tête. Il est préférable d'exécuter des retours en hauteur afin de se donner du temps pour se replacer en vue du coup suivant. Il faut également que le point de contact avec le volant soit le plus haut possible.

Objectifs : développer la concentration, la vision périphérique et le dégagé défensif.

22. Matchs à deux contre un avec conclusion de l'échange la plus rapide possible

▶ Jouer des matchs à deux contre un lors desquels le joueur seul doit gagner l'échange le plus tôt possible. Lorsqu'il réussit à remporter un échange en ayant exécuté cinq coups ou moins, il marque deux points. Jouer des parties de 11 points.

Objectifs : encourager le joueur seul à attaquer et à analyser les faiblesses des adversaires ; améliorer la précision et les coups d'attaque (smashs, drives, dégagés offensifs, lobs offensifs, amortis).

23. Matchs avec obligation de gagner la partie en moins de 10 minutes

▶ Jouer des matchs qu'un joueur doit gagner en moins de 10 minutes ; s'il dépasse ce délai, il perd. La contrainte ne s'applique qu'à un joueur.

Objectifs pour le joueur sous contrainte : encourager le joueur à attaquer et à mettre de la pression sur l'adversaire ; favoriser l'utilisation de coups puissants dont la trajectoire est tendue ; exploiter toute la surface de jeu et varier le rythme du jeu.

Objectifs pour le joueur sans contrainte : exploiter toute la surface de jeu et varier le rythme du jeu ; apprendre à faire durer les échanges.

24. Échanges en simple sur un demi-terrain ou sur l'ensemble du terrain avec cueillette de volants

▶ Placer trois volants sur la ligne de côté, près de la ligne de service court. Les joueurs tentent d'aller en cueillir un sans interrompre l'échange. Celui qui réussit et qui remporte l'échange marque un point. Celui qui réussit mais qui ne parvient pas à gagner l'échange doit remettre le volant ramassé à sa place. Le vainqueur est celui qui réussit à marquer trois points, donc à ramasser les trois volants.

Objectifs : améliorer les déplacements, la vision périphérique et l'utilisation des coups et trajectoires ; apprendre à jouer sous pression, à prendre des risques et à se défendre.

25. Matchs à un contre deux

▶ Jouer des matchs seul contre deux adversaires.

Objectifs : améliorer les déplacements ainsi que la précision des divers coups et trajectoires ; changer le rythme du jeu (le rythme n'est pas celui du double parce que le joueur seul impose un rythme plus lent) ; développer l'endurance cardiovasculaire.

26. Échanges devant se terminer par des smashs

▶ Jouer des matchs lors desquels, pour que les joueurs marquent des points, les échanges doivent se terminer par des smashs.

Objectifs : favoriser l'utilisation des coups près du filet et des trajectoires basses ; obliger l'adversaire à relever le volant pour pouvoir terminer l'échange avec un smash ; améliorer la précision des smashs et l'attaque (surtout en puissance).

27. Exercices de coups spécifiques à trois joueurs sur un demi-terrain

▶ Faire des exercices où un joueur peut seulement amortir ou dégager. Les deux autres joueurs sont en position avant-arrière. Le joueur avant est responsable de renvoyer les amortis avec des lobs. Le joueur arrière doit exécuter des dégagés pour répondre à ceux du joueur seul.

Objectif pour le joueur seul : améliorer l'efficacité des coups exécutés de la zone arrière (amortis, dégagés).

Objectif pour le joueur avant : travailler les lobs.

Objectif pour le joueur arrière : travailler les dégagés.

Ce genre d'exercice permet à chaque joueur de porter son attention sur un seul ou deux mouvements à la fois, et limite les déplacements.

28. Matchs multipoints

▶ Jouer des matchs de 21 points en simple, sur l'ensemble du terrain, avec des échanges gagnés n'ayant pas tous la même valeur. Si l'échange prend fin alors que le volant tombe près du filet (entre le filet et la ligne de service court), le joueur marque cinq points. Si l'échange prend fin alors que le volant tombe dans le couloir de fond, le joueur marque trois points. Si l'échange prend fin alors que le volant tombe entre les lignes de service court et de service long en double, le joueur marque un seul point.

Objectifs : utiliser de manière optimale tout l'espace de jeu en dirigeant le volant vers les zones avant et arrière ; utiliser une variété de coups ; viser les quatre coins.

29. Matchs en simple avec obligation de servir du fond du terrain

▶ Jouer des matchs en simple avec obligation de servir du fond du terrain.

Objectif pour le serveur : reprendre position au centre de son demi-terrain, immédiatement après avoir effectué son service afin de bien couvrir la partie avant.

Objectif pour le receveur : exploiter la zone avant en exécutant des amortis et des coups au filet.

30. La croisée des chemins sur un demi-terrain ou sur l'ensemble du terrain

▶ Coller des X au centre de l'espace de jeu de chacun. Jouer des matchs de 11 ou de 21 points. Après chaque coup, chaque joueur doit retourner au centre pour toucher son X avec sa main libre. On marque des points de deux façons : si son adversaire ne réussit pas à toucher au X ou si on touche son X et qu'on remporte l'échange.

Objectifs : utiliser tous les coups et exploiter tout l'espace de jeu ; apprendre à se déplacer rapidement dans toutes les directions.

31. Matchs au filet

▶ Jouer des matchs de 11 ou de 21 points sur un demi-terrain ou sur l'ensemble du terrain. Effectuer des services courts en diagonale dirigés vers le carré de réception. Par la suite, faire en sorte que le volant ne tombe plus derrière la ligne de service court, sans quoi l'adversaire marque un point. Les seuls coups permis sont les coups au filet.

Objectifs : améliorer la qualité des coups au filet et des services courts.

32. Le flambeau

▶ Former deux équipes de trois à cinq personnes. Un seul joueur par équipe prend position sur le demi-terrain pendant que ses partenaires se mettent en file derrière la ligne de fond. Le joueur actif n'effectue qu'un seul retour, pour ensuite quitter le terrain par l'un des deux côtés et se remettre en file, faisant place au suivant, qui vient exécuter le deuxième coup, et ainsi de suite. L'équipe qui gagne l'échange marque un point. Jouer des matchs de 11 ou de 21 points. Il existe deux variantes à cette mise en situation : a) si un joueur perd deux échanges, il doit cesser de jouer ; b) si une équipe perd deux échanges consécutifs, elle perd une raquette, et les joueurs doivent se prêter les raquettes pendant les échanges, ce qui constitue un handicap supplémentaire.

Objectifs : favoriser l'utilisation de trajectoires en hauteur afin de permettre le changement de joueurs ; utiliser toute la longueur du terrain ; apprendre à se déplacer rapidement ; développer la communication et l'esprit d'équipe ; exploiter la zone avant.

33. La tornade

▶ Se répartir en groupes de trois (ou de quatre) par terrain. Un joueur est seul de son côté alors que ses deux partenaires sont de l'autre, près du filet. Ceux-ci doivent exécuter de façon continue des retours en direction des quatre coins, dans un sens préétabli (horaire ou antihoraire). Le joueur qui est seul doit toujours renvoyer le volant près du filet. S'il réussit quatre retours consécutifs sans erreur, donc un tour complet, il marque un point. Inverser les rôles lorsque l'exécutant totalise cinq points.

Objectifs : favoriser l'exploitation de la partie avant et utiliser une variété de coups permettant de l'atteindre ; apprendre à se déplacer rapidement dans toutes les directions et à enchaîner différentes actions motrices.

34. Matchs à un contre tous

▶ Former deux équipes de deux à quatre personnes, chacune ayant son demi-terrain. Un seul joueur par équipe prend place, et les autres attendent sur le côté du terrain. Le gagnant d'un échange marque un point et reste sur le terrain tant qu'il remporte les échanges. Lorsqu'il perd, il quitte le terrain pour faire place au joueur suivant. Le joueur évincé conserve ses points en vue de les accumuler. Le premier qui atteint 11 ou 21 points gagne la partie.

Objectifs : développer la régularité ; encourager le dépassement personnel et la saine compétition ; améliorer l'utilisation des tactiques de base.

35. Matchs à deux contre un sur un demi-terrain avec attaque en double

▶ Jouer des matchs à deux contre un. Les membres de l'équipe double se placent en position d'attaque, l'un derrière l'autre. Le joueur arrière attaque (smashs, amortis, drives) alors que celui qui est en avant coupe les volants et met l'adversaire seul sous pression. Ce dernier doit contrer les attaques en effectuant des retours contrôlés (drives, lobs offensifs ou défensifs, retours de smash au filet, tendus ou lobés).

Objectifs : accroître l'efficacité de l'attaque en double ainsi que la qualité et l'efficacité des retours en situation défensive.

36. Le miroir

▶ Deux joueurs sont face à face sur un terrain. Pendant un certain temps, un joueur se déplace à vitesse maximale tandis que l'autre « fait le miroir » en effectuant les mêmes déplacements au même moment.

Objectif pour le joueur modèle : se déplacer plus rapidement que son adversaire.

Objectifs pour le joueur miroir : se déplacer rapidement dans toutes les directions ; être en mesure d'effectuer deux tâches en même temps, soit observer l'adversaire et se déplacer.

L'AUTOÉVALUATION
DE L'EFFICACITÉ
EN SITUATION DE JEU
(ÉTAPE 5)

Dans ce chapitre, nous vous proposons des outils d'analyse de votre efficacité technique et tactique en situation réelle de jeu. Dans vos cours, vous êtes appelé à développer et à appliquer les habiletés de base en jouant divers types de matchs. Afin de stimuler votre intérêt et votre participation, nous vous proposons de faire des tournois, en particulier un tournoi échelle en simple, un tournoi à double élimination en simple et un tournoi à la ronde en double. Le Compagnon web de cet ouvrage vous fournit d'ailleurs les grilles de tournois correspondantes – et bien d'autres choses.

Pour faciliter l'analyse de votre efficacité en situation de jeu, nous vous proposons des grilles d'autoévaluation. En les utilisant, vous prendrez conscience de la manière dont vous jouez, de vos forces et de vos faiblesses. Cela vous permettra de déterminer les éléments tactiques à améliorer et de vous fixer des objectifs tactiques. Se perfectionner au badminton implique en effet non seulement de développer ses habiletés techniques, mais aussi de bien appliquer les tactiques de base. Avant de vous évaluer, relisez le chapitre 4 sur les tactiques.

Nous vous conseillons d'expérimenter les divers types de matchs et de tournois de manière progressive, en tenant compte de votre niveau et de celui de vos partenaires. Les tournois ont pour objectifs votre progression, votre participation et le dépassement personnel. Si vous êtes débutant ou débutant-intermédiaire, nous vous recommandons de commencer par des matchs en simple sur un demi-terrain.

COMPILER SES RÉSULTATS

Pour obtenir progressivement un portrait global de vos performances, il est essentiel que vous compiliez vos résultats. Après chaque match, remplissez le *tableau 8 : La compilation des résultats* et faites signer votre adversaire, qui approuve ainsi le résultat. De cette façon, en plus de savoir si vous jouez régulièrement ou non, votre professeur pourra également connaître vos opposants (vous ne devez pas toujours jouer contre les mêmes), vos résultats et les éléments que vous avez travaillés pendant vos matchs.

TABLEAU 8   La compilation des résultats

N°	Date du match	Nom et position de l'opposant	Score obtenu	Éléments travaillés (techniques ou tactiques)	Signature de l'opposant
1					
2					
3					
4					
5					
6					
7					
8					
9					
10					
11					
12					
13					
14					
15					
16					
17					
18					
19					
20					

Semaine :   **Rang :**   **Semaine :**   **Rang :**   **Semaine :**   **Rang :**

Fiche d'autoévaluation en simple

Nom : _____   *Groupe :* _____

Pour les questions 1 à 4, veuillez encercler les énoncés qui s'appliquent.

1. Je réussis à servir dans le couloir de fond.
   a) Jamais.
   b) Rarement.
   c) À l'occasion.
   d) Souvent.
   e) Très souvent.

2. Lorsque je suis au fond du terrain, j'arrive généralement à dégager...
   a) à peine plus loin que la ligne de service court.
   b) au centre du terrain.
   c) légèrement en avant du couloir de fond.
   d) dans le couloir de fond.

3. Je me déplace...
   a) avec beaucoup de difficulté ; souvent, je n'ai pas le temps de me rendre jusqu'au volant.
   b) lentement ; je suis souvent en retard ou en déséquilibre lorsque je frappe.
   c) plus ou moins rapidement.
   d) rapidement vers l'avant, mais difficilement vers l'arrière.
   e) rapidement, mais avec des pas douteux.
   f) très rapidement et avec aisance.
   g) autrement (préciser) : _____.

4. Je réussis à contraindre mon adversaire à se déplacer.
   a) Jamais.
   b) Rarement.
   c) À l'occasion.
   d) Souvent.
   e) Très souvent.

5. Concernant mes retours de service, je dirais que...

(Plus d'une affirmation peut s'appliquer : cochez la case ou les cases appropriées.)

Retours de service	Jamais	Parfois	Souvent
a) J'évite d'exécuter des retours aléatoires et des coups qui envoient le volant au centre du terrain.			
b) Je me déplace rapidement afin de frapper le volant à une hauteur optimale.			
c) Je frappe le volant jusqu'au fond du terrain pour obliger mon adversaire à reculer.			
d) J'exécute des retours dirigés près du filet afin de contraindre mon adversaire à s'approcher du filet et à renvoyer le volant vers le haut.			
e) Je dirige régulièrement le volant sur le revers de mon adversaire.			
f) Lorsque je suis en retard ou en déséquilibre, j'exécute des retours hauts et profonds afin de me donner du temps pour me replacer.			
g) J'exécute des coups précis qui tombent dans les quatre coins.			

6. Veuillez indiquer les coups que vous effectuez et que vous réussissez à diriger aux bons endroits. De plus, évaluez l'efficacité et la qualité de vos déplacements, de vos postures et de vos positionnements en cochant la case qui les décrit le mieux.

Coups	Jamais	Parfois	Souvent
Service long (corridor de fond)			
Service court (bas et près de la ligne de service court)			
Dégagé (corridor de fond)			
Amorti (zone avant)			
Smash (près des lignes de côté)			
Lob (corridor de fond)			
Coup au filet (zone avant)			
Drive (près des lignes de côté)			
Dégagé du revers (corridor de fond)			
Amorti du revers (zone avant)			
Retour de smash (au filet, corridor de fond ou drive)			

Déplacements, postures et positionnements	Inadéquat	Satisfaisant	Bien	Excellent
Position et posture au service.				
Position et posture en réception.				
Posture de base défensive (dynamique).				
Déplacements vers l'avant (rapides et stables).				
Déplacements latéraux (rapides et stables).				
Déplacements vers l'arrière permettant de frapper du côté dominant (rapides et stables).				
Déplacements vers l'arrière contraignant à frapper du revers (rapides et stables).				

7. Veuillez évaluer votre maîtrise des éléments stratégiques en cochant la case qui les décrit le mieux.

Éléments stratégiques	Jamais	Parfois	Souvent
a) Après chaque coup, je reprends ma position au centre de mon terrain et j'adopte la bonne posture de base.			
b) J'évite de renvoyer le volant vers le centre et vers le haut inutilement. Si je suis incapable de renvoyer le volant profondément, j'exécute des coups bas visant la zone avant ou dirigés près des lignes de côté.			
c) Je me dirige le plus rapidement possible vers le volant afin de le frapper à une hauteur optimale.			
d) J'utilise la pleine longueur du terrain en variant les coups dirigés près du filet et les coups dirigés vers le fond du terrain.			
e) Je joue sur le revers de mon adversaire.			
f) Je force mon adversaire à se déplacer en jouant loin de lui et en visant les quatre coins.			
g) Je maîtrise plusieurs coups (puissants, lents, hauts, bas, longs, courts, croisés, en parallèle, offensifs, défensifs…) et je les utilise pour faire varier le rythme du jeu.			
h) Je profite des faiblesses de l'adversaire (_____) et je l'empêche d'utiliser ses forces (_____).			
i) Je n'abandonne jamais, je garde ma concentration et je suis patient.			

8. Mes forces et faiblesses majeures sont les suivantes :

Forces (à consolider)	Faiblesses (à améliorer)

Fiche d'évaluation en simple par un pair

Nom du joueur : _____ *Groupe :* _____

1. Dans le dessin ci-dessous, veuillez indiquer, à l'aide d'un X, à quels endroits le volant a touché le sol ou à quels endroits l'adversaire a intercepté le volant. Bien qu'il soit impossible de répertorier tous les coups, reportez-en le plus possible. Cet exercice permet de dresser un portrait fidèle d'un joueur. Quels coups utilise-t-il ? Ses coups sont-ils précis ? Profite-t-il de toute la surface de jeu de l'adversaire ? Joue-t-il sur le revers de son adversaire ? Etc.

Nom du joueur évalué :
_____

Côté dominant du joueur : _____ Côté dominant de l'adversaire : _____
Nom de l'observateur : _____

Pour les questions 2 à 5, veuillez encercler les énoncés qui s'appliquent.

2. Le joueur est capable de servir dans le couloir de fond.
   a) Jamais.   c) À l'occasion.   e) Très souvent.
   b) Rarement.   d) Souvent.

3. Lorsqu'il est au fond du terrain, le joueur arrive généralement à dégager...
   a) à peine plus loin que la ligne de service court.
   b) au centre du terrain.
   c) légèrement en avant du couloir de fond.
   d) dans le couloir de fond.

4. Le joueur observé se déplace...
   (Plus d'une affirmation peut s'appliquer.)
   a) avec beaucoup de difficulté ; souvent, il n'a pas le temps de se rendre au volant.
   b) lentement ; il est souvent en retard ou en déséquilibre lorsqu'il frappe.
   c) plus ou moins rapidement.

d) rapidement vers l'avant, mais difficilement vers l'arrière.

e) rapidement, mais avec des pas douteux.

f) très rapidement et avec aisance.

g) autrement (préciser) : _____.

5. Le joueur réussit à contraindre son adversaire à se déplacer.

a) Jamais.

b) Rarement.

c) À l'occasion.

d) Souvent.

e) Très souvent.

6. Concernant les retours de service du joueur, on peut dire que...
(Plus d'une affirmation peut s'appliquer : cochez la case ou les cases appropriées.)

Retours de service	Jamais	Parfois	Souvent
a) Il évite d'exécuter des retours aléatoires et des coups qui tombent au centre du terrain.			
b) Il se déplace rapidement afin de frapper le volant à une hauteur optimale.			
c) Il envoie le volant jusqu'au fond du terrain pour obliger son adversaire à reculer.			
d) Il exécute des retours dirigés près du filet afin de contraindre son adversaire à s'approcher du filet et à renvoyer le volant vers le haut.			
e) Il dirige régulièrement le volant sur le revers de son adversaire.			
f) Lorsqu'il est en retard ou en déséquilibre, il exécute des retours hauts et profonds afin de se donner du temps pour se replacer.			
g) Il exécute des coups précis qui tombent dans les quatre coins.			

7. Veuillez indiquer les coups effectués qui ont été dirigés aux bons endroits. De plus, évaluez l'efficacité et la qualité des déplacements, des postures et des positionnements du joueur observé en cochant la case qui les décrit le mieux.

Coups	Jamais	Parfois	Souvent
Service long (corridor de fond)			
Service court (bas et près de la ligne de service court)			
Dégagé (corridor de fond)			
Amorti (zone avant)			
Smash (près des lignes de côté)			
Lob (corridor de fond)			
Coup au filet (zone avant)			
Drive (près des lignes de côté)			
Dégagé du revers (corridor de fond)			
Amorti du revers (zone avant)			
Retour de smash (au filet, corridor de fond ou drive)			

Déplacements, postures et positionnements	Inadéquat	Satisfaisant	Bien	Excellent
Position et posture au service.				
Position et posture en réception.				
Posture de base défensive (dynamique).				
Déplacements vers l'avant (rapides et stables).				
Déplacements latéraux (rapides et stables).				
Déplacements vers l'arrière permettant de frapper du côté dominant (rapides et stables).				
Déplacements vers l'arrière contraignant à frapper du revers (rapides et stables).				

8. Veuillez évaluer la maîtrise des éléments stratégiques par le joueur et reporter les résultats dans le tableau suivant.

Éléments stratégiques	Jamais	Parfois	Souvent
a) Après chaque coup, il reprend sa position au centre de son terrain et adopte la bonne posture de base.			
b) Il évite de renvoyer le volant vers le centre et vers le haut inutilement. S'il est incapable de renvoyer le volant profondément dans le terrain, il exécute des coups bas, dans la zone avant ou dirigés près des lignes de côté.			
c) Il se dirige le plus rapidement possible vers le volant afin de le frapper à une hauteur optimale.			
d) Il utilise la pleine longueur du terrain en faisant varier les coups dirigés près du filet et les coups dirigés vers le fond du terrain.			
e) Il joue sur le revers de son adversaire.			
f) Il force son adversaire à se déplacer en jouant loin de lui et en visant les quatre coins.			
g) Il maîtrise plusieurs coups (puissants, lents, hauts, bas, longs, courts, croisés, en parallèle, offensifs, défensifs…) et il les utilise pour faire varier le rythme du jeu.			
h) Il profite des faiblesses de l'adversaire ( ) et il l'empêche d'utiliser ses forces ( ).			
i) Il n'abandonne jamais, il garde sa concentration et il est patient.			

9. Vous conseillez au joueur que vous avez observé d'améliorer les éléments tactiques suivants au cours des prochaines semaines :

_____

_____

_____

Fiche d'autoévaluation en double

Nom : _____   *Groupe :* _____

Partenaire : _____

Pour les questions 1 et 2, veuillez encercler les énoncés qui s'appliquent.

1. Je réussis à effectuer des services courts qui passent près du filet et qui tombent à l'intérieur de la zone de service, près de la ligne de service court.

    a) Jamais.

    b) Rarement.

    c) À l'occasion.

    d) Souvent.

    e) Très souvent.

2. Mon partenaire réussit à effectuer des services courts qui passent près du filet et qui tombent à l'intérieur de la zone de service, près de la ligne de service court.

    a) Jamais.

    b) Rarement.

    c) À l'occasion.

    d) Souvent.

    e) Très souvent.

3. Concernant nos retours de service, je dirais que...
(Plus d'une affirmation peut s'appliquer : cochez la case ou les cases appropriées.)

Retours de service	Jamais		Parfois		Souvent	
	Moi	Partenaire	Moi	Partenaire	Moi	Partenaire
a) Nous évitons d'exécuter inutilement des retours hauts et aléatoires.						
b) Nous nous déplaçons rapidement afin de frapper le volant à une hauteur optimale.						
c) Nous frappons le volant jusqu'au fond du terrain en lui donnant la trajectoire la plus basse possible.						
d) Nous réalisons des placements latéraux à mi-terrain afin de créer de la confusion entre les joueurs de l'équipe adverse.						
e) Nous exécutons des retours dirigés près du filet afin de contraindre l'équipe adverse à renvoyer le volant vers le haut.						
f) Nous dirigeons régulièrement le volant sur le revers de l'adversaire situé dans la zone arrière.						
g) Lorsque nous sommes en retard ou en déséquilibre, nous exécutons des retours hauts et profonds afin de nous donner du temps pour nous replacer.						
h) Nous attaquons dès que l'occasion se présente (corps du serveur, joueur le plus faible…).						

4. Veuillez indiquer les coups que vous effectuez et que vous réussissez à diriger aux bons endroits. De plus, évaluez l'efficacité et la qualité de vos déplacements, de vos postures et de vos positionnements en inscrivant vos noms (initiales) dans les colonnes qui vous décrivent le mieux.

Coups	Jamais	Parfois	Souvent
Service court (bas et près de la ligne de service court)			
Service drive (près de la ligne de service long en double)			
Dégagé (corridor de fond)			
Amorti (zone avant)			
Smash (au centre, près des lignes de côté)			
Lob (corridor de fond)			
Coup au filet (zone avant)			
Drive (au centre, près des lignes de côté)			
Attaque au filet (zone centrale, sur un adversaire)			
Dégagé et amorti du revers (le moins souvent possible)			
Retour de smash (au filet, corridor de fond ou drive)			

Déplacements, postures et positionnements	Inadéquat	Satisfaisant	Bien	Excellent
Position et posture au service.				
Position et posture en réception.				
Posture de base défensive (dynamique).				
Déplacements vers l'avant (rapides et stables).				
Déplacements latéraux (rapides et stables).				
Déplacements vers l'arrière permettant de frapper du côté dominant (rapides et stables).				
Déplacements vers l'arrière contraignant à frapper du revers (rapides et stables).				

5. Nos forces et faiblesses majeures sur le plan technique sont les suivantes :

Forces (à consolider)	Faiblesses (à améliorer)
Moi : _____	Moi : _____
_____	_____
_____	_____
Partenaire : _____	Partenaire : _____
_____	_____
_____	_____

6. Veuillez évaluer, pour votre équipe, la maîtrise des éléments stratégiques de base à utiliser en double et reporter les résultats dans le tableau suivant. Pour considérer un élément comme étant maîtrisé, il faut le mettre en pratique régulièrement. Faites ressortir ceux que vous utilisez efficacement à l'aide d'un surligneur.

Éléments stratégiques	Évaluation		
	Maîtrisé par aucun joueur	Maîtrisé par un joueur	Maîtrisé par les deux joueurs
a) Nous effectuons des services courts qui passent près du filet.			
b) Nous effectuons des retours de service variés nous permettant de prendre l'attaque (placements latéraux, drives, attaques au filet, lobs offensifs, coups au filet, smashs, amortis).			
c) Nous maintenons le volant le plus bas possible afin de limiter les attaques adverses (trajectoires basses et tendues).			
d) Nous exploitons les faiblesses des adversaires, nous visons le joueur adverse le plus faible.			
e) Nous attaquons dès que l'occasion se présente, de préférence au centre (smashs, drives, amortis).			
f) Nous varions nos coups (dégagés, amortis, smashs, drives, lobs, coups au filet, attaques au filet, etc.) et le rythme du jeu.			
g) En défense, nous nous positionnons l'un à côté de l'autre ; en attaque, l'un derrière l'autre.			
h) En défense, nous gardons le volant le plus bas possible et nous dirigeons nos retours vers les lignes de côté (viser le revers du joueur arrière ou entre les deux joueurs, par exemple).			
i) Nous communiquons bien.			

7. Nos forces et faiblesses majeures sur le plan stratégique sont les suivantes :

Forces (à consolider)	Faiblesses (à améliorer)
Moi : _____	Moi : _____
_____	_____
_____	_____
Partenaire : _____	Partenaire : _____
_____	_____
_____	_____

Marche à suivre

L'objectif du cours étant d'améliorer son efficacité, le professeur doit être en mesure d'observer une progression dans le développement des habiletés et des aptitudes de chaque étudiant. C'est pourquoi on lui recommande d'effectuer une évaluation globale de l'apprenant en situation de jeu, au début et à la fin de la session, afin de constater s'il a progressé ou non. Il lui faut évaluer la qualité générale des postures, des positionnements, des coups, des déplacements et des tactiques de base.

La grille *Évaluation de la progression de l'étudiant* qui suit permet au professeur de déterminer le degré d'amélioration des habiletés de ses étudiants. Une colonne est consacrée à chaque niveau de jeu : débutant (1), débutant-intermédiaire (2), intermédiaire (3) et avancé (4). Le professeur attribuera un maximum de 35 points à l'amélioration de ces habiletés et un maximum de 5 points à l'autonomie et à l'effort, pour un total de 40 points.

On distingue quatre degrés d'amélioration : excellente amélioration (31 à 35 points), bonne amélioration (26 à 30 points), légère amélioration (21 à 25 points), peu ou pas d'amélioration (0 à 20 points). Une fois que le professeur a déterminé le degré d'amélioration d'un étudiant, il précise, dans l'intervalle choisi, le nombre de points reflétant les progrès accomplis.

Conseils d'utilisation de la grille d'évaluation de la progression de l'étudiant

▶ Il est permis, voire conseillé, de modifier le contenu de la grille. Chaque enseignant doit développer des outils d'évaluation avec lesquels il se sent à l'aise. Le contenu peut varier selon différents facteurs : temps et durée du cours, connaissances de l'activité enseignée, niveau d'enseignement, besoins, priorités, etc.

▶ Il est important que le professeur présente la grille d'évaluation aux étudiants au début de la session afin que ceux-ci puissent se familiariser avec les critères d'évaluation et qu'ils soient en mesure de connaître les exigences du cours et les résultats attendus.

▶ Le professeur doit porter un jugement qualitatif sur la progression. Les chiffres 1, 2, 3 et 4 associés aux différents niveaux de jeu pourraient très bien être remplacés par des A, B, C et D.

▶ Un étudiant qui maîtrise plusieurs habiletés d'un même niveau sans toutefois maîtriser la majorité de celles-ci peut situer son jeu entre deux niveaux. Exemple : 2,5 si le niveau se situe entre débutant-intermédiaire et intermédiaire.

▶ Une amélioration importante en fin de session implique que l'étudiant a fait progresser son jeu d'au moins un niveau par rapport au début de la session.

▶ Il est suggéré que le professeur demande aux étudiants de procéder à l'auto-évaluation de leur progression (habiletés) en utilisant la même grille que l'enseignant au début et à la fin de la session.

BADMINTON : ÉVALUATION DE LA PROGRESSION DE L'ÉTUDIANT

Nom : _____ *Groupe :* _____

Niveau de jeu de départ : _____

Photo

1. Débutant 2. Débutant-intermédiaire
3. Intermédiaire 4. Avancé

Éléments à observer	1. Niveau débutant	2. Niveau débutant-intermédiaire
Posture de base et positionnement (au service, en réception et en position défensive)	• En position défensive : corps droit, pieds mal orientés et trop rapprochés, poids sur les talons, raquette trop basse, genoux non fléchis. • Au service : mauvaise position sur le terrain, pieds mal orientés et trop rapprochés, poids sur les talons, bras fléchi, corps trop droit, genoux non fléchis. • En réception : mauvais positionnement, épaules face au filet, revers non protégé, raquette trop basse, pieds mal orientés.	• En position défensive : corps droit, pieds bien orientés, mais parfois rapprochés, poids sur les talons, genoux légèrement fléchis, réaction tardive. • Au service : bonne position sur le terrain, pieds bien orientés, corps trop droit, bras fléchi, genoux non fléchis. • En réception : revers protégé, position trop avancée ou reculée, poids sur les talons, réaction tardive.
Coups peu puissants (service court, amorti, coup au filet, lob)	• Services courts imprécis et aléatoires (trop hauts, trop courts…) ; mauvaise posture, corps face au filet ; geste isolé du bras. • Pas de contrôle des trajectoires. • Pas de coups au filet et d'amortis. • Volant joué trop bas à la hauteur des yeux. • Difficulté à frapper par en dessous (lob). • Mauvais angle de raquette lors du contact. • Incapacité à effectuer des lobs qui tombent plus loin que le centre du terrain adverse.	• Services courts parfois hauts, imprécis et dirigés sur l'adversaire (mauvais angle de raquette). • Pas ou peu d'amortis et de coups au filet. • Le volant n'est pas frappé à une hauteur optimale. • Amortis et coups au filet souvent imprécis (dans le filet, trop haut, trop long), geste non fluide. • Lobs généralement trop courts (trois quarts du terrain adverse) et trop bas, souvent imprécis ; geste isolé du bras ou du haut du corps.
Coups puissants (service long, dégagé, drive, smash…)	• Incapacité à effectuer des coups puissants en raison d'une mauvaise posture ou d'un geste déficient en coup droit comme en revers (ex. : jeu de face, bras fléchi, raquette trop basse, tamis orienté vers le filet, volant poussé et frappé au niveau des yeux ou par en dessous, absence de transfert de poids). • Frappes hautes inexistantes (amorti, dégagé, smash) ; bras non armé vers l'arrière, geste isolé du bras sans pronation ou supination. • Services longs : beaucoup trop courts et trop bas, souvent dirigés au centre du terrain adverse. • Incapacité à dégager (le volant ne tombe pas plus loin qu'au centre du terrain adverse). • Incapacité à effectuer des drives et des smashs. • Incapacité à relever les smashs. • Trajectoires courtes et tendues.	• Difficulté à effectuer des coups puissants en raison d'une mauvaise posture ou d'un geste incomplet et non fluide, en coup droit comme en revers. • Posture irrégulière (jeu de face, bras fléchi, raquette trop basse, tamis orienté vers le filet, extension du bras et rotation de l'avant-bras incomplètes). • Le volant n'est pas frappé à sa hauteur maximale (extension du bras incomplète). • Services longs : trop bas et courts (aux trois quarts du terrain), pas de pronation, de rotation des épaules et de transfert de poids. • Dégagés trop bas et trop courts (aux trois quarts du terrain adverse), difficulté, voire incapacité à dégager côté revers. • Drives et smashs : peu puissants et imprécis, geste isolé du bras, non fluide. • Retours de smashs laborieux et imprécis. • Trajectoires descendantes peu précises et peu puissantes.
Déplacements et repositionnement	• Déplacements très courts, désorganisés et mal coordonnés ; difficulté à reculer pour frapper ; mauvaise posture de base ne permettant pas de réagir rapidement (corps droit, pieds rapprochés). • Absence de blocage avec la jambe dominante avant la frappe (donc instabilité). • Absence de repositionnement ou repositionnement très tardif.	• Déplacements tardifs, instables vers l'avant, déficients côté revers ; déplacements latéraux aisés du côté du coup droit ; déplacements vers l'arrière difficiles (souvent en pas courus). • Blocage avec la jambe dominante irrégulier avant la frappe. • Déplacements seulement lorsque le volant n'est pas loin. • Repositionnement tardif et souvent incomplet.
Stratégies	• Absence d'intention stratégique ; seul objectif : retourner le volant. • Nombreuses fautes commises. • Incapacité à repousser l'adversaire au fond du terrain ; zone près du filet peu ou pas utilisée. • Retours de services imprécis et aléatoires. • Pas de variété de coups.	• Capacité à repousser l'adversaire (aux trois quarts du terrain), de le faire bouger de gauche à droite ; mauvaise utilisation de la zone près du filet, retours hauts et tendus. • Coups en direction du revers de l'adversaire. • Retours de services peu variés et hauts, surtout dirigés vers la zone arrière (lob, dégagé, drive).

AMÉLIORATION (fin et début de session) : Excellente : 31 à 35 points Légère : 21 à 25 points

Bonne : 26 à 30 points Pas ou peu : 0 à 20 points _____ /35

AUTONOMIE : 0-1-2-3 _____

EFFORT : 0-1-2 _____

TOTAL /40

3. Niveau intermédiaire	**4. Niveau avancé**
• Position défensive : dynamique, pieds écartés, genoux légèrement fléchis, poids sur le devant des pieds, raquette tenue à la hauteur de la poitrine, corps parfois droit, réactions parfois à retardement. • Repositionnement après chaque frappe. • Très bonne position au service et en réception ; réactions parfois à retardement.	• Position défensive : pieds écartés et bien orientés, genoux fléchis, poids sur le devant des pieds, raquette tenue à la hauteur de la poitrine, corps légèrement incliné vers l'avant, réactions rapides. • Repositionnement après chaque frappe ; corps orienté en fonction du prochain coup à jouer. • Excellente position au service et en réception, réactions rapides.
• Bonne posture, gestes de plus en plus fluides. • Services courts : trajectoire près du filet et volant tombant près de la ligne de service court et de la ligne médiane. • Amortis précis si le temps le permet, geste isolé du haut du corps ne ressemblant pas ou peu au mouvement du dégagé. • Coups au filet bien effectués en parallèle lorsque le temps le permet ; difficulté, voire incapacité à croiser. • Lobs bien dirigés dans le couloir de fond, mais manquant parfois de hauteur et de précision.	• Bonne posture, gestes très fluides. • Services courts : très précis, gestes fluides. • Coups au filet : joués le plus haut possible, précis en parallèle comme en croisé. • Amortis : mouvements fluides et bien masqués, précis en parallèle comme en croisé, même sous pression ; utilisation des amortis lents et rapides, bonne variation ; exécution de coups coupés et brossés (facultatif). • Lobs : contrôle de la hauteur et de la direction ; utilisation des lobs défensifs et offensifs, bonne variation.
• Bonne posture, gestes de plus en plus fluides et complets (extension du bras complète, pronation ou supination incomplète, peu ou pas de rotation des épaules, transfert de poids initié par les jambes, phase finale du mouvement bien exécutée). • Volant joué à une hauteur quasi optimale. • Lors de la phase préparatoire des frappes hautes : épaules perpendiculaires au filet, bras armé, raquette haute. • Difficulté à effectuer des coups puissants du revers. • Services longs : profonds, réguliers, mais manquant souvent de hauteur. • Dégagés atteignant le corridor de fond, mais manquant parfois de hauteur et de précision. • Drives efficaces et relativement précis du coup droit, mais difficiles du revers. • Smashs relativement puissants, souvent imprécis et mal coordonnés ; gestes incomplets (mauvaise utilisation du bas du corps, transfert de poids partiel). • Retours de smashs souvent réussis lorsque le volant est dirigé sur le joueur. • Dégagés du revers trop bas et trop courts (à la moitié du terrain adverse). Difficulté à effectuer le geste.	• Coups puissants du coup droit et du revers. • Excellente posture, gestes très fluides et complets (extension du bras, rotation des épaules, pronation et supination complètes, bras armé, mouvement fluide, blocage de la jambe dominante, transfert de poids optimal, phase finale du mouvement bien exécutée). • Bonds rapides sur le volant (volant frappé le plus haut possible). • Services longs : précis, profonds, très hauts et réguliers ; tendus, précis. • Exécution de smashs coupés et/ou brossés (facultatif). • Dégagés atteignant toujours le corridor de fond ; bon contrôle de la hauteur et de la précision, bonne utilisation des dégagés défensifs et offensifs. • Drives efficaces et précis en coup droit comme en revers. • Smashs puissants, précis et bien coordonnés ; gestes complets (utilisation de tout le corps, transfert de poids complet). • Retours de smashs réussis même lorsque le volant est loin du joueur. • Dégagés du revers profonds et réguliers. Gestes fluides, rapides et complets.
• Déplacements rapides, mais parfois désorganisés. • Déplacements stables dans toutes les directions lorsque le temps le permet, instables sous pression. • Déplacements vers l'arrière côté revers ardus. • Repositionnement central rapide et régulier.	• Déplacements rapides, organisés et stables dans toutes les directions – y compris les déplacements vers l'arrière côté revers. • Utilisation de coups au-dessus de la tête pour protéger le revers. • Exécution de sauts de démarrage (jeu en suspension facultatif). • Repositionnement systématique et adapté en fonction d'une intention stratégique (attaque, défense).
• Volonté de repousser l'adversaire au fond du terrain, de le faire se déplacer constamment, frappe dirigée sur son revers ; jeu avant-arrière, variation du rythme du jeu, retours hauts évités. • Volant dirigé dans la zone avant de façon plus régulière. • Utilisation de ses points forts. • Retours de services variés parfois imprécis (amorti, dégagé, smash, drive, lob, coup au filet, attaque au filet). • Utilisation de trajectoires descendantes (attaque au filet, smash, amorti).	• Envoi du volant dans les quatre coins, variation du rythme du jeu ; patience démontrée ; trajectoires tendues qui réduisent le temps de réaction de l'adversaire ; exploitation maximale des faiblesses de l'adversaire. • Contrôle de l'échange et de l'attaque. • Coups variés et précis (vitesse, profondeur, hauteur, direction). • Retours de services variés et précis. • Exécution de feintes, de coups coupés et brossés pour déjouer l'adversaire (facultatif).

Critères d'évaluation de la progression : description des différents degrés d'amélioration

Excellente amélioration (31/35 à 35/35)

Joueurs débutants et débutants-intermédiaires (début de la session) :

▷ Amélioration importante de toutes les habiletés (techniques et tactiques), dont au moins trois ont progressé de deux niveaux par rapport au point de départ.

Joueurs intermédiaires (début de la session) :

▷ Amélioration importante de toutes les habiletés (techniques et tactiques).

▷ Amélioration importante de la majorité des habiletés (techniques et tactiques) et amélioration d'au moins une habileté propre aux joueurs avancés.

Joueurs avancés (début de la session) :

▷ Acquisition ou maintien de toutes les habiletés de base et amélioration importante d'au moins trois habiletés propres aux joueurs avancés (dégagé du revers, amorti coupé ou brossé, coup au filet croisé, smash coupé ou brossé, retour de smash au filet ou en drive, etc.).

Bonne amélioration (26/35 à 30/35)

Joueurs débutants et débutants-intermédiaires (début de la session) :

▷ Amélioration importante de toutes les habiletés (techniques et tactiques), dont au moins une a progressé de deux niveaux par rapport au point de départ.

▷ Amélioration importante de la majorité des habiletés (techniques et tactiques), dont au moins deux ont progressé de deux niveaux par rapport au point de départ.

Joueurs intermédiaires (début de la session) :

▷ Amélioration importante de deux ou trois habiletés (techniques et tactiques) et amélioration d'au moins une habileté propre aux joueurs avancés (dégagé ou amorti du revers, amorti coupé ou brossé, coup au filet croisé, smash coupé ou brossé, retour de smash au filet ou en drive, etc.).

▷ Amélioration importante de la majorité des habiletés (techniques et tactiques).

Joueurs avancés (début de la session) :

▷ Acquisition ou maintien de toutes les habiletés de base et amélioration importante d'au moins deux habiletés propres aux joueurs avancés (dégagé ou amorti du revers, amorti coupé ou brossé, coup au filet croisé, smash coupé ou brossé, retour de smash au filet ou en drive, etc.).

Légère amélioration (21/35 à 25/35)

Joueurs débutants et débutants-intermédiaires (début de la session):

▶ Amélioration de la majorité des habiletés (techniques et tactiques) de seulement un niveau par rapport au point de départ.

Joueurs intermédiaires (début de la session):

▶ Amélioration de deux ou trois habiletés (techniques et tactiques) de seulement un niveau par rapport au point de départ.

▶ Amélioration d'une habileté (technique ou tactique) de seulement un niveau par rapport au point de départ et amélioration d'une habileté d'au moins deux niveaux par rapport au point de départ.

Joueurs avancés (début de la session):

▶ Maintien de toutes les habiletés de base et amélioration importante d'au moins une habileté propre aux joueurs avancés (dégagé du revers, amorti coupé ou brossé, coup au filet croisé, smash coupé ou brossé, retour de smash au filet ou en drive, etc.).

Peu ou pas d'amélioration (0 à 20/35)

Joueurs débutants et débutants-intermédiaires (début de la session):

▶ Aucune amélioration ou amélioration d'une ou deux habiletés (techniques ou tactiques) de seulement un niveau par rapport au point de départ.

Joueurs intermédiaires (début de la session):

▶ Aucune amélioration ou amélioration d'une seule habileté (technique ou tactique) de seulement un niveau par rapport au point de départ.

Joueurs avancés (début de la session):

▶ Aucune amélioration ou faible amélioration d'une ou deux habiletés (techniques ou tactiques) par rapport au point de départ.

Autonomie

3/3 : L'étudiant est toujours à son affaire.
L'étudiant choisit des exercices appropriés et agit de sa propre initiative.
L'étudiant applique très bien la démarche d'apprentissage.

2/3 : L'étudiant est généralement à son affaire.
L'étudiant choisit des exercices appropriés et agit de sa propre initiative.
L'étudiant applique bien la démarche d'apprentissage.

1/3 : L'étudiant, bien souvent, n'est pas à son affaire et perd son temps.
L'étudiant ne choisit pas ou choisit peu d'exercices appropriés et a de la difficulté à se mettre en marche.
L'étudiant applique plus ou moins bien la démarche d'apprentissage.

0/3 : L'étudiant perd son temps.
L'étudiant ne choisit pas ou choisit peu d'exercices appropriés et a de la difficulté à se mettre en marche.
L'étudiant applique plus ou moins bien la démarche d'apprentissage.

Effort

2/2 : L'étudiant donne toujours le meilleur de lui-même.

L'étudiant fait toujours le travail demandé.

L'étudiant est concentré, il essaie d'appliquer les techniques et les tactiques de base le plus possible.

1/2 : L'étudiant fournit un effort soutenu lors des matchs, mais plus ou moins soutenu lors des exercices (ou le contraire).

L'étudiant fait généralement le travail demandé.

L'étudiant est plus ou moins concentré, il essaie à l'occasion d'appliquer les techniques et les tactiques de base.

0/2 : L'étudiant ne fournit pas un effort soutenu, il a de la difficulté à se mettre en marche.

L'étudiant, bien souvent, ne fait pas le travail demandé.

L'étudiant n'est pas concentré, il essaie peu ou n'essaie pas d'appliquer les techniques et les tactiques de base.

AUTOÉVALUATION FINALE

Nom: _____   *Groupe:* _____

Le temps est venu de faire le bilan de votre cours de badminton. Vous devez maintenant porter un jugement critique sur votre progression ainsi que sur votre démarche d'apprentissage. Pour chacun de vos objectifs personnels (trois ou quatre), rédigez un paragraphe précisant l'objectif de façon claire, l'atteinte ou non de celui-ci, deux éléments techniques (ou tactiques) que vous avez améliorés, deux situations d'apprentissage (moyens, exercices) que vous avez expérimentées ainsi que les difficultés rencontrées. Ensuite, veuillez indiquer dans un paragraphe distinct quelles sont les réalisations dont vous êtes le plus fier. Finalement, jugez et justifiez votre degré d'amélioration en décrivant les progrès réalisés; tenez compte des éléments suivants: postures et positionnements, coups peu puissants, coups puissants, déplacements, stratégies.

FICHE D'AUTOÉVALUATION DE CHAQUE COURS

Nom : _____ **Groupe :** _____

À la fin de chaque cours, vous devez juger de la qualité de votre travail et des efforts que vous avez fournis. Prenez le temps de préciser et de déterminer les habiletés techniques et tactiques que vous avez améliorées. Nous vous encourageons à vous dépasser afin que vous puissiez progresser.

Sem.	Date J/M	Qualité de l'échauffement /3	Effort durant les exercices /4	Effort au jeu /3	Éléments techniques ou tactiques améliorés durant le cours	Total /10	Signature
1							
2							
3							
4							
5							
6							
7							
8							
9							
10							
11							
12							
13							
14							

PHOTOS COMPLÉMENTAIRES

Vous trouverez ci-dessous les photos illustrant les trois phases du drive du revers, de l'attaque au filet du revers et du coup au filet du revers ainsi que les trois phases du retour de smash du coup droit, en complément des fiches 15, 16, 17 et 20. Le Compagnon web présente des vidéos de ces coups.

Drive du revers

Attaque au filet du revers

Coup au filet du revers

Retour de smash du coup droit

Amorti : Coup au-dessus de la tête qui s'effectue de la partie arrière du terrain et dont la trajectoire est basse et descendante. Le volant doit retomber près du filet, dans le terrain adverse. Ce coup vise à surprendre l'adversaire et à l'obliger à relever le volant.

Armer le bras : Lever le coude jusqu'au niveau des épaules et l'amener vers l'arrière afin d'étirer les muscles et de les mettre sous tension.

Attaque au filet : Coup vif qui s'exécute à la hauteur de la tête, à partir de la zone avant. Sa trajectoire est courte et en piqué ; le volant passe près de la bande supérieure du filet et touche le sol derrière la ligne de service court adverse. On l'utilise pour mettre fin à un échange en rabattant des retours trop hauts.

Base du volant : Partie arrondie du volant, en liège recouvert d'une cuirette, qu'on frappe avec la raquette.

Cadre de la raquette : Armature de la raquette, structure qui soutient le cordage et qui forme avec lui la tête de la raquette.

Cambrer le dos : Courber le dos en forme d'arc, vers l'arrière ou sur le côté.

Camp : Joueur (en simple), les deux joueurs d'une équipe (en double) ou encore le territoire défendu.

Coordination : Capacité de coordonner un geste avec un objet en mouvement.

Cordage de la raquette : Partie de la raquette constituée des cordes et entrant en contact avec le volant. Également appelé « tamis ».

Côté dominant : Côté du corps correspondant au bras de frappe. Un droitier a le bras droit dominant et la jambe droite dominante.

Côté non dominant : Côté du corps opposé au bras de frappe. Pour un droitier, il s'agit du côté gauche.

Couloir (ou corridor) de côté : En double, couloir situé sur le côté du terrain, sur toute la longueur.

Couloir (ou corridor) de fond : Partie du terrain qui est située complètement au fond, entre la ligne de service long en double et la ligne de fond. Pour le service en double, le volant ne peut atterrir dans cette zone.

Coup au filet : Coup joué par en dessous, à partir de la zone avant, tout près du filet, et dont la trajectoire est très courte. Il s'agit de rediriger le volant dans le camp adverse en le faisant raser le filet. Plus le volant tombe près du filet, plus il est difficile à renvoyer. L'objectif est de contraindre l'adversaire à relever le volant.

Coup brossé : Coup qui s'effectue en modifiant l'angle de la tête de la raquette par rapport au filet de manière à transmettre moins de force au volant et à le diriger en diagonale. Un droitier utilise surtout ce coup du côté gauche du terrain pour diriger le volant vers le côté droit (pronation de l'avant-bras accentuée).

Coup coupé : Coup qui s'effectue en modifiant l'angle de la tête de la raquette par rapport au filet de manière à transmettre moins de force au volant et à le diriger en diagonale. Un droitier utilise surtout ce coup du côté droit du terrain pour diriger le volant vers le côté gauche (pas de pronation de l'avant-bras).

Coup droit : Coup frappé du côté dominant.

Dégagé : Coup frappé au-dessus de la tête qui s'effectue de la zone arrière et dont la trajectoire est en hauteur et en profondeur. Le volant franchit toute la longueur du terrain pour tomber dans le couloir de fond. Ce coup vise à repousser l'adversaire au fond de son terrain.

Demi-terrain (droit ou gauche) : Partie droite ou gauche de chaque terrain, délimitée par la ligne médiane, la ligne de fond et le filet. En position défensive, en double, chaque joueur est responsable de protéger un demi-terrain, le droit ou le gauche.

Déviation radiale : Mouvement d'abduction (flexion latérale) de la main au niveau du poignet qui permet au pouce de se rapprocher de l'avant-bras. L'abduction est un mouvement qui écarte un membre de l'axe du corps.

Drive : Coup puissant joué à la hauteur de la tête, dont la trajectoire est basse et tendue. Après être passé près du filet, le volant doit tomber à l'arrière du terrain adverse. Ce coup vise à surprendre l'adversaire et à le mettre sous pression.

Échange : Série de coups échangés entre les deux camps au terme de laquelle est marqué un point. Un échange commence toujours par un service et prend fin dès que le volant touche le sol ou qu'une faute est commise.

Empennage du volant : Partie conique du volant, fabriquée à partir de plumes d'oie ou de nylon, dont le rôle est d'en ralentir la vitesse.

Extension : Mouvement qui vise à éloigner l'un de l'autre deux segments du corps ; position qui résulte de ce mouvement. Une extension du bras éloigne l'avant-bras du bras.

Faute : Manquement à une règle ou transgression d'une règle.

Feinte : Mouvement effectué dans le but de tromper ou de surprendre l'adversaire. Par exemple, simuler un smash et effectuer un amorti.

Fente avant ou latérale : Lors d'un déplacement vers l'avant ou vers le côté, grand pas de la jambe dominante avec blocage, poids sur le talon du pied dominant, genou de la jambe dominante fléchi à 90° ou plus et jambe non dominante en extension. L'élan du corps est ainsi freiné, en coup droit comme en revers.

Flexion : Mouvement par lequel une partie du corps (segment de membre, etc.) fait un angle avec la partie voisine ; position qui résulte de ce mouvement. Par exemple, lors d'une flexion du bras, l'avant-bras se rapproche du bras, formant ainsi un angle avec lui.

Jeu en suspension : Coup effectué à la suite d'un saut, le joueur étant dans les airs.

Ligne de côté : Ligne perpendiculaire au filet qui détermine la largeur du terrain. Elle n'est pas la même en simple qu'en double.

Ligne de fond : Ligne parallèle au filet la plus reculée qui délimite la longueur du terrain.

Ligne de service court : Ligne parallèle au filet la plus proche de ce dernier et qui marque le début de la zone de service.

Ligne de service long en double : Ligne arrière située à 83 cm de la ligne de fond et qui délimite la longueur de la zone de service, en double.

Ligne médiane : Ligne perpendiculaire au filet qui sépare les deux zones de service.

Lob : Coup qui s'effectue par en dessous depuis la partie avant du terrain, près du filet, et dont la trajectoire est haute et profonde. Le volant doit tomber dans le corridor de fond adverse. Ce coup vise à repousser l'adversaire au fond de son terrain.

Manche : Composante d'un match qui prend fin lorsqu'un joueur ou une équipe réussit à marquer 21 points avec au moins 2 points d'avance.

Masquer : Dissimuler, cacher ses intentions, donner le moins d'information possible à l'adversaire sur le coup qu'on va effectuer.

Match : Compétition sportive entre deux camps (deux joueurs ou deux équipes) qui se termine lorsque l'un des deux remporte deux manches.

Mi-terrain : Tiers central d'un terrain.

Partie : Compétition sportive entre deux camps (deux joueurs ou deux équipes) qui se termine lorsque l'un des deux remporte deux manches.

Pas à cloche-pied : Il s'agit de deux pas consécutifs faits en sautillant, sur le même pied.

Pas chassés : À la suite d'un pas de la jambe dominante, le pied non dominant glisse au sol pour aller rejoindre et chasser le pied dominant.

Pas courus : Pas semblables à ceux de la marche et de la course.

Pas croisés : À la suite d'un pas de la jambe dominante, le pied non dominant passe devant ou derrière le pied dominant de manière à ce que les jambes se croisent.

Permuter : Changer de position avec son partenaire.

Pivot : Mouvement qu'on effectue lorsqu'on tourne sur l'un de ses pieds tandis qu'il reste en contact continu avec le sol.

Placement latéral à mi-terrain : Coup dirigé entre les adversaires, près d'une ligne de côté et légèrement derrière la ligne de service court. Utilisé en réponse à un service court ou comme retour en situation défensive, pour créer un malentendu entre les adversaires.

Position centrale : Emplacement situé au centre du terrain où le joueur doit se placer après chaque frappe, pour bien couvrir tout son espace de jeu.

Posture de base : Attitude générale du corps, façon de se tenir en préparation d'un coup.

Pronation : Mouvement de rotation de l'avant-bras vers l'intérieur du corps. On l'exécute pour prendre un objet.

Receveur : Joueur qui doit renvoyer le service.

Reprise : Arrêt de jeu légitime permettant de recommencer un échange. On parle aussi de *let*.

Retour de smash : Coup à basse altitude, effectué à partir de la zone centrale du terrain et qu'on utilise pour rediriger les attaques puissantes de l'adversaire. Il s'agit d'un coup défensif à pratiquer quand on est sous pression.

Revers : Coup frappé du côté non dominant.

Serveur : Joueur qui doit mettre le volant en jeu.

Service : Coup effectué au début de chaque échange afin de mettre le volant en jeu.

Service court : Mise en jeu qui s'effectue de profil par rapport au filet, en frappant en coup droit. Sa trajectoire est courte et basse. Le volant doit passer très près de la bande supérieure du filet et tomber tout près de la ligne de service court adverse. Lorsqu'il est bien effectué, ce coup est difficile à attaquer et contraint l'adversaire à relever le volant.

Service court asiatique : Mise en jeu qui s'effectue face au filet, en frappant du revers. Sa trajectoire est courte et basse. Le volant doit passer très près de la bande supérieure du filet et tomber tout près de la ligne de service court adverse. Lorsqu'il est bien effectué, ce coup est difficile à attaquer et contraint l'adversaire à relever le volant.

Service long : Mise en jeu qui s'effectue de profil par rapport au filet, en frappant en coup droit. Sa trajectoire est longue et très haute, pour obliger le receveur à reculer et donner au serveur du temps pour réagir. Elle peut être longue et rapide, basse, dans le cas d'un service long tendu, pour surprendre l'adversaire. Le volant doit tomber dans le couloir de fond adverse.

Smash : Coup d'attaque le plus puissant au badminton, frappé au-dessus de la tête et donnant au volant une trajectoire en piqué. Utilisé pour terminer l'échange ou mettre de la pression sur l'adversaire.

Supination : Mouvement de rotation de l'avant-bras vers l'extérieur du corps. On l'exécute lorsqu'on médite, paumes des mains tournées vers le haut.

Tamis : Surface de cordage de la raquette, entrant en contact avec le volant. Également appelé « cordage ».

Tête de la raquette : Partie de la raquette formée du cadre et du cordage, avec laquelle on frappe le volant.

Tige de la raquette : Partie de la raquette mince et allongée qui est située entre le manche et le cadre.

Trajectoire : Courbe décrite par le volant, après la frappe, pendant sa période de vol. Différents paramètres la définissent : hauteur, profondeur, direction, vitesse.

Transfert de poids : Mouvement par lequel le poids du corps est déplacé d'un appui à un autre.

Zone arrière : Tiers arrière d'un terrain comprenant le couloir de fond.

Zone avant : Tiers avant d'un terrain situé entre le filet et la ligne de service court.

Zone de divorce : En double, espace entre deux joueurs. Que les adversaires soient en position offensive ou défensive, il est toujours possible d'effectuer des retours entre eux pour provoquer un malentendu.

Zone de service : Partie du terrain à partir de laquelle on peut effectuer ou recevoir un service. Cette zone n'est pas exactement la même en simple et en double.

Médiagraphie

Livres

BADMINTON QUÉBEC. *Badminton : manuel technique du deuxième niveau*, Montréal, Badminton Québec, 2000, 156 pages.

BADMINTON QUÉBEC. *Badminton : manuel technique du premier niveau*, Montréal, Badminton Québec, 2000, 178 pages.

BADMINTON QUÉBEC. *Initiation au badminton*, Montréal, Badminton Québec, 1997, 214 pages.

BOSSAN, Guy. *Badminton : à vos marques*, Paris, Hachette, 2003, 128 pages.

CORBEIL, Jean. *Le badminton*, Montréal, Éditions de l'Homme, 1980, 110 pages.

FERLY, Bertrand, et Guy PAPELIER. *Le badminton : apprendre le badminton : du jeu de volant au sport duel*, Paris, Amphora, 1995, 153 pages.

FERLY, Bertrand, Bertrand GALLET et Guy PAPELIER. *Les fondamentaux du badminton : initiation et perfectionnement avec exercices d'entraînement*, Paris, Amphora, 1998, 143 pages.

GRICE, Tony. *Badminton : vers le succès*, Paris, Vigot, 2001, 137 pages.

GRUNENFELDER, Francine, et Georges COUARTOU. *Badminton : de l'école aux associations*, Paris, EPS, 2001, 148 pages.

LAFERRIÈRE, Serge. *Réussir au badminton*, Montréal, Éditions du Renouveau Pédagogique, 2003, 107 pages.

Le badmintonien : revue officielle des entraîneurs de la F.B.Q., février-mars 1985, vol. 5, n° 1, 10 pages.

MAILLÉ, Robert, Serge LACROIX et Jacques GOULET. *Badminton : cahier du cours de l'ensemble 2*, Montréal, document personnel, 53 pages.

MANSUY, Élodie. *Badminton : initiation, entraînement, animation*, Paris, Amphora, 1991, 127 pages.

SOLOGUB, Lars, et Klaus FUCHS. *Badminton : technique, tactique, entraînement*, Paris, Robert Laffont, 1992, 158 pages.

SOLOGUB, Lars, et Terje Dag OSTHASSEL. *Le badminton : techniques, tactiques*, Paris, Vigot, 1992, 264 pages.

TANG, Cen. *La voie du badminton : comprendre le badminton*, Jonquière (Québec), Éditions Asiatiques, 1991, 391 pages.

Sites Internet

www.ascea-bad-grenoble.org
Site de l'association sportive AS CEA/ST, section badminton, à Grenoble (France).

www.badminton.ca
Site de Badminton Canada, fédération de badminton du Canada.

www.badmintonquebec.com
Site de Badminton Québec, fédération de badminton du Québec.

www.badzine.fr
Webzine de badminton français.

www.cregybad.org
Site du club de badminton de Crégy les Meaux (France).

www.ffba.org
Site de la Fédération française de badminton.

www.bwfbadminton.org
Site de la Badminton World Federation, fédération internationale de badminton.

www.worldbadminton.com
Site complet fournissant un grand nombre d'informations et de liens.

http://fr.wikipedia.org/wiki/Badminton
Page de l'encyclopédie Wikipédia sur le badminton.

http://badminton.online.fr
Site qui se veut « le » site francophone du badminton.

www.youtube.com
On trouve sur ce site des vidéos de badminton vraiment intéressantes et spectaculaires.

Index